BEBIDAS PROBIÓTICAS

75 deliciosas recetas de kombucha, kéfir, cerveza de jengibre
y otras bebidas fermentadas de modo natural

JULIA MUELLER

Título original:

Delicious Probiotic Drinks: 75 Recipes for Kombucha, Kefir, Ginger Beer and Other Naturally Fermented Drinks

Traducción: Ainhoa Segura Alcalde

© 2014, Skyhorse Publishing Inc.
Publicado por acuerdo con Skyhorse Publishing Inc.

De la presente edición en castellano:
©Gaia Ediciones, 2016
Alquimia, 6 - 28933 Móstoles (Madrid) - España
Tels.: 91 614 53 46 - 91 614 58 49
www.alfaomega.es - E-mail: alfaomega@alfaomega.es

Primera edición: octubre de 2017

Depósito legal: M. 10.171-2017
I.S.B.N.: 978-84-8445-671-1

Impreso en China

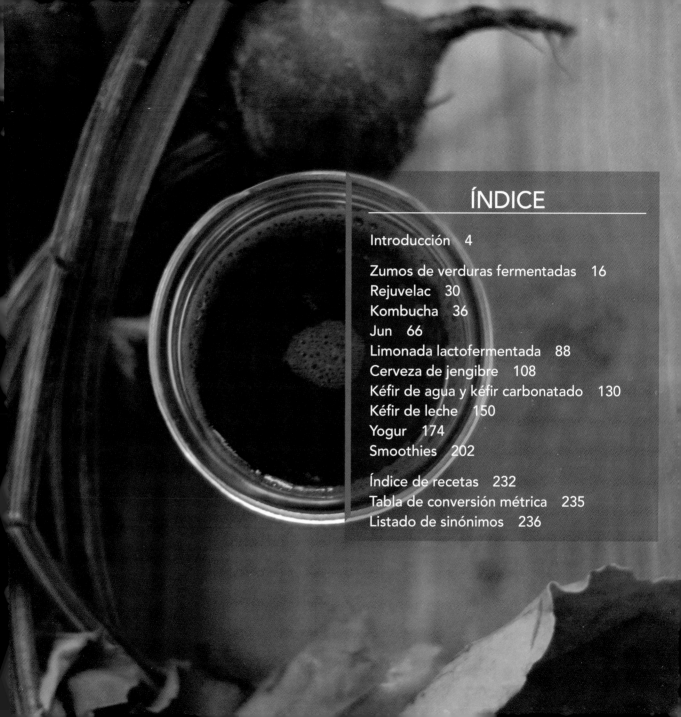

ÍNDICE

Introducción

Introducción

¡Bienvenido al maravilloso mundo de las bebidas probióticas! Si estás buscando una manera divertida y deliciosa de mejorar tu salud, te encuentras en el lugar indicado.

En este libro hallarás más de setenta y cinco recetas para crear diez clases diferentes de bebidas probióticas. También descubrirás en qué consiste el proceso de fermentación artesanal, cuáles son los beneficios para la salud tanto de los probióticos como de diversas hierbas aromáticas, frutas, verduras y tés, y cómo empezar a preparar tus propias bebidas probióticas.

He dividido el libro en secciones organizadas por tipo de bebida. Cada sección comienza con una guía de elaboración paso a paso y continúa con varias recetas con las que podrás añadir sabor a las bebidas probióticas y hacer de ellas una experiencia muy apetecible. A pesar de que este libro te ofrece las pautas para llevar a cabo el proceso de fermentación y puede servir de inspiración en materia de sabores, te animo a crear tus propias combinaciones según tus necesidades nutricionales y a elegir las técnicas que más te convengan. Recuerda: ¡la fermentación es un arte!

Fermentar puede resultar frustrante. Es cierto que lleva tiempo y es confuso, pero, por encima de todo, una vez que dominas la técnica se trata de un proceso maravilloso. Fermentar bebidas (y alimentos) no solo resulta divertido, sino que, gracias a ello, aprenderás nociones básicas de química y ampliarás tus conocimientos sobre la salud del ser humano. Y lo más importante es que el resultado sabe exquisito.

Elaborar bebidas probióticas en tu hogar de manera artesanal no tiene por qué ser caro; de hecho, sale muy rentable. En internet encontrarás información sobre todo tipo de cultivos iniciadores de buena calidad, así como jarras, botellas, frascos y otros utensilios.

No tengas prisa, disfruta de la experiencia de promover cultivos probióticos sanos y siéntete orgulloso de haber iniciado un viaje que tendrá un impacto muy positivo en tu salud. Recuerda que dentro de ti habita un ecosistema de organismos que ayuda a tu cuerpo a llevar a cabo sus funciones más básicas, que son, al mismo tiempo, las más complejas. Estimular estas colonias de bacterias creando unas condiciones ambientales favorables hará que se desarrollen sanas y felices, y tú lo notarás.

Por favor, lee las instrucciones con mucha atención, ya que la fermentación artesanal conlleva ciertos riesgos. Y no te entretengo más. ¡Ha llegado la hora de que aprendas a elaborar bebidas probióticas!

Sobre los probióticos (y las levaduras)

Los probióticos son bacterias saludables que ayudan a potenciar y conservar la microflora del tracto gastrointestinal para alcanzar un equilibrio digestivo y una buena salud gástrica general. Existen miles de cepas de bacterias y de levaduras beneficiosas. Entre ellas destacan los lactobacilos (también llamados *Lactobacillus*), considerados los mayores impulsores del buen funcionamiento del sistema digestivo. Estas bacterias están presentes en el yogur, la kombucha, el kéfir, la cerveza de jengibre, etc. Aunque puedes encontrar una gran variedad de bebidas y suplementos probióticos en el mercado, estos tienden a ser caros y no siempre resultan tan efectivos como los elaborados de manera artesanal en tu propio hogar.

En la batalla entre las bacterias buenas y malas, los probióticos forman parte del bando de los buenos. Ayudan a luchar contra las cepas dañinas —e incluso son capaces de prevenir y curar enfermedades— y además fortalecen el sistema inmunitario, al tiempo que aumentan los niveles de energía. Algunas empresas incluso fabrican productos de limpieza probióticos que promueven un entorno saludable.

A diario ingerimos alimentos carentes de nutrientes vivos. La raíz del problema es doble: se encuentra tanto en el origen mismo de la comida como en los métodos de preparación y cocinado. La carne está contaminada con antibióticos, y las frutas y las verduras están modificadas genéticamente y cubiertas de residuos químicos. Dependemos en gran medida de alimentos refinados, como diferentes clases de pan o pasta. Dada la comodidad que supone el consumo de este tipo de productos, nos olvidamos de que una buena nutrición se obtiene en su mayor parte de una dieta rica en alimentos crudos y enteros o integrales.

Incorporar bebidas probióticas a tu dieta no solucionará necesariamente el déficit nutricional que puedas padecer, pero sin duda ayudará a reparar el daño que las comidas de difícil digestibilidad (como el trigo, las legumbres o los azúcares procesados) puedan haber causado a tu flora intestinal. También favorecerá el desarrollo de unas condiciones propicias para que los microorganismos beneficiosos de la microbiota prosperen y sean capaces de ayudar en la digestión, luchar contra los patógenos y reforzar el sistema inmunitario.

Los beneficios de las bebidas probióticas para la salud

Cada bebida probiótica presenta su propia cepa de bacterias o de levaduras. Existen miles de cepas beneficiosas, y cada una de ellas desempeña un papel fundamental en el buen funcionamiento tanto del sistema digestivo como del sistema inmunitario. Los beneficios que se obtienen del consumo de bebidas probióticas son muchos y variados. En cada sección de este libro encontrarás una descripción de dichos beneficios, además de una relación de las propiedades saludables de los ingredientes que componen cada receta.

Las bebidas probióticas fomentan una digestión eficiente al favorecer la salud de la flora intestinal, combatir los agentes biológicos patógenos (aumentando, por lo tanto, la inmunidad) e incrementar los niveles de energía, lo que se traduce en una mayor vitalidad general. Se podría decir que los alimentos fermentados están «predigeridos», ya que sus azúcares han sido descompuestos previamente. Esto hace que sean más fáciles de asimilar que los alimentos no fermentados, agilizando la labor del páncreas, órgano responsable de segregar los fluidos digestivos.

A pesar de que el efecto de las bebidas probióticas depende de la persona, existen estudios que han demostrado su eficacia a la hora de mejorar los síntomas de las siguientes enfermedades:

- Estreñimiento
- Candidiasis y síndrome del intestino permeable
- Síndrome del intestino irritable
- Úlceras
- Infección vaginal por hongos levaduriformes
- Celiaquía
- Enfermedad de Crohn
- Diarrea
- Diabetes

Es importante tener en cuenta que aunque en este libro encontrarás información acerca de los beneficios que las bebidas probióticas tienen para la salud, parte de la comunidad científica todavía debate sobre el verdadero alcance de sus efectos positivos. Por esta razón, es esencial que hagas caso a tu instinto. Lleva a cabo tus propias investigaciones y recuerda que estas bebidas no son la panacea ni actúan de la misma manera en cada individuo.

Sobre la fermentación

La fermentación es una técnica muy valiosa que ha sido utilizada por diversas culturas de todo el mundo durante miles de años. Se ha usado para elaborar cerveza, vino y otras bebidas, así como para conservar alimentos, algo fundamental para las diferentes sociedades antes de la invención del frigorífico, ya que se trataba de la única forma de garantizar un almacenamiento seguro de las provisiones.

El proceso fermentativo se da cuando un organismo vivo crece y se multiplica gracias a la asimilación del alimento que se le proporciona, que transformará en ácido y alcohol. En el caso de las recetas que ilustran este libro, los organismos vivos son cepas de bacterias y levaduras, también conocidos como *probióticos*. El «alimento» del que se nutren los probióticos viene dado en forma de azúcar: azúcar de caña, miel, la lactosa de la leche o la fructosa de la fruta.

El ácido láctico, el tipo de ácido que se produce con la fermentación, ayuda a regular los ácidos gástricos hasta alcanzar el equilibrio adecuado. Tanto el exceso como la deficiencia de ácido láctico provocan en muchos casos molestias que los alimentos fermentados pueden aliviar, dado que contribuyen al mantenimiento de una proporción saludable de ácido láctico que favorece la digestión. A medida que envejecemos, la presencia de enzimas digestivas disminuye; por ello, las bebidas fermentadas son especialmente recomendables para las personas de edad avanzada.

Otro beneficio derivado de la fermentación es la acetilcolina, un neurotransmisor que actúa tanto en el sistema nervioso periférico como en el sistema nervioso central. Este neurotransmisor es el encargado de llevar a cabo diversas funciones de gran dificultad, como la contracción de los músculos, la motilidad intestinal y la transmisión de la información entre ambos hemisferios cerebrales. También favorece la concentración, la memoria y ayuda a calmar los nervios. En este sentido, la acetilcolina se considera vital para aprender y retener información. Diversos estudios han mostrado que los pacientes con alzhéimer presentan niveles bajos de acetilcolina, razón por la que esta enfermedad se trata con una forma sintética del neurotransmisor.

Tal como ocurre en la elaboración del vino y la cerveza, los azúcares presentes al comienzo del proceso de fermentación son metabolizados, por lo que, una vez concluido dicho proceso, el remanente de azúcar es mucho menor. También, como en el caso del vino y la cerveza, la mayor parte de las bebidas probióticas con base de agua presenta una pequeña cantidad de alcohol. Debido a ello, es muy importante ser cautos a la hora de dar de beber a los niños estas bebidas probióticas caseras, sobre todo si son fuertes.

Por lo general, el tiempo necesario y la temperatura idónea para la fermentación varían dependiendo del alimento o la bebida. Por ejemplo, el yogur y el kéfir necesitan 24 horas o menos para fermentar, mientras que la cerveza de jengibre podría tardar semanas y la kombucha, de 5 a 7 días. Esto quiere decir que las necesidades de cada cepa de bacteria y de levaduras son distintas, y la parte divertida y desafiante del proceso es tratar de averiguar cuáles son sus condiciones ambientales ideales para obtener una bebida de calidad superior.

La fermentación secundaria

Aunque la mayor parte de la gente está familiarizada con la fermentación, el proceso conocido como *fermentación secundaria* no es tan popular. La fermentación secundaria es exactamente eso, un segundo proceso fermentativo que tiene lugar después de que la bebida haya fermentado por primera vez. Aunque no es imprescindible para elaborar bebidas probióticas, este paso nos permitirá añadir sabores deliciosos y disfrutar de un resultado más efervescente (con más burbujas). Durante la primera fermentación, los probióticos consumen la mayoría del azúcar (si no todo), por lo que será necesario agregar una cantidad adicional para que se pueda producir esta segunda fermentación.

¿Qué se consigue con la fermentación secundaria? En primer lugar, se trata de un paso que permite que los probióticos sigan creciendo, lo que implica una mayor presencia de bacterias beneficiosas. Además, es en esta segunda fase cuando se le puede aportar sabor al resultado. Aunque estas bebidas son perfectamente aceptables y saben bien tras la primera fermentación, ingredientes como distintos tipos de fruta, endulzantes (azúcar o miel), té de variedades diversas, hierbas aromáticas o flores comestibles, añadidos antes de fermentarlas una segunda vez, le aportan un toque delicioso, divertido y burbujeante que se puede adaptar al gusto de cada uno.

Las bebidas que me gusta someter a esta fermentación secundaria son la kombucha, el jun, la cerveza de jengibre y el kéfir carbonatado. Sin embargo, no lo considero un paso necesario en el caso de la limonada lactofermentada, los zumos de verduras fermentadas, el kéfir de leche, el yogur o el rejuvelac.

Elaborar bebidas probióticas en casa

Por dónde empezar

A aquellos que acaban de descubrir el mundo de la fermentación el proceso les puede parecer desalentador e incluso un tanto apabullante. ¡Te aseguro que no es así! El punto de partida idóneo sería elegir la sección de este libro que más te interese. ¿Consumes yogur cada día y te apetece elaborarlo tú mismo? ¡Comienza por el capítulo dedicado al yogur o al kéfir! Quizá lleves un tiempo comprando kombucha y quieras darle un respiro a tu bolsillo porque, efectivamente, la kombucha es un producto caro. Las secciones dedicadas a la kombucha o al jun te permitirán ahorrar dinero y elegir tus sabores favoritos, además de brindarte la oportunidad de embarcarte en un proyecto saludable que mantendrá tu mente activa. Una vez que te hayas decidido por un tipo de bebida, puede que necesites (o no) realizar algunas compras para asegurarte de que dispones de los utensilios adecuados para llevar a cabo la fermentación.

Utensilios necesarios

Cada una de las bebidas requiere unas herramientas específicas para su elaboración. Después de decidir qué tipo de bebida vas a fermentar, comprueba de qué dispones y qué necesitas adquirir de la lista que encontrarás al principio de cada sección. Antes de comenzar, lee las instrucciones con cuidado y asegúrate de que tienes todo lo necesario. En comparación con lo que se precisa para elaborar cerveza o vino, los utensilios para fermentar las bebidas que aparecen en este libro son mucho más económicos y se pueden reutilizar en otro tipo de elaboraciones o para almacenar alimentos.

Como ya he señalado, en cada sección encontrarás una lista de útiles de cocina necesarios para preparar la bebida. A medida que vayas adquiriendo experiencia, descubrirás cuáles son los más adecuados y seguramente acabarás configurando tu propio inventario. Por lo general, necesitarás una jarra de cristal grande (o varias), paños de cocina o unas piezas de tela de muselina, gomas elásticas, azúcar, té, botellas de cristal con cierre hermético (son adecuados tanto el cierre de rosca como el de estribo) y agua mineral o agua de pozo. El agua mineral la puedes comprar en garrafas grandes, por lo que constituye la mejor opción para fermentar bebidas probióticas, a no ser que vivas en una casa cuyo suministro de agua depende de un pozo. Para hacer tu experiencia más rentable incluso, te aconsejo que compares precios de jarras, botellas y tarros en tiendas físicas y a través de internet.

A pesar de que todas las bebidas que aparecen en este libro se pueden disfrutar en su versión natural, animarlas con tus sabores favoritos les aporta un toque único, artesanal y delicioso. Las combinaciones de frutas variadas, hierbas aromáticas, especias, té, flores y endulzantes son innumerables.

En cada sección encontrarás diversas fórmulas para añadir sabor a tus bebidas probióticas caseras. Es importante recordar que el dulzor, la intensidad y el tiempo de la fermentación primaria condicionarán el resultado final. Por esta razón, no dudes en añadir o eliminar ingredientes de acuerdo con tus preferencias. A no ser que se indique lo contrario, te recomiendo utilizar productos de temporada para cada receta. A continuación te facilito un listado de frutas disponibles según la estación del año.

Invierno	diciembre, enero, febrero	clementinas, dátiles, pomelos, kiwis, naranjas, fruta de la pasión, peras, caquis, grosellas rojas, mandarinas
Primavera	marzo, abril, mayo	albaricoques, chirimoya, cerezas, melón de piel lisa, fruta del árbol de jaca, limas, lichis, mangos, naranjas, piña, fresas
Verano	junio, julio, agosto	albaricoques, grosellas negras, moras, arándanos azules, baya de Boysen, melón cantalupo, cerezas, durián, baya del saúco, higos, pomelos, uvas, melón de piel lisa, fruta del árbol de jaca, limas de los cayos de Florida, lichis, nectarinas, fruta de la pasión, melocotones, ciruelas, frambuesas, fresas, sandía
Otoño	septiembre, octubre, noviembre	manzanas, arándanos, uvas, guayaba, limas de los cayos de Florida, kumquat, fruta de la pasión, peras, caquis, piña, granadas
Fruta que está disponible todo el año: manzanas, aguacates, plátanos, cocos, limones		

Conversiones útiles para medir líquidos

1 litro	4,2 tazas
16 onzas	2 tazas
1 galón	3,78 litros = 16 tazas

Fermentación perfecta

Alcanzar el mismo resultado cada vez que elaboras bebidas probióticas puede resultar difícil; incluso si utilizas igual cantidad de ingredientes para la fermentación secundaria, el sabor puede variar de una tanda a otra debido a la temperatura de conservación, la cantidad de azúcar ya presente en comparación con la añadida, la madurez del cultivo, etc. Todos estos factores influyen en el resultado final. En las siguientes páginas encontrarás una lista de los sabores específicos que descubrirás al tomar bebidas fermentadas y te contaré cómo conseguirlos para que mantengas o varíes tus métodos de fermentación de acuerdo con ellos.

Seco: Cuando una bebida tiene un sabor seco (no dulce), quiere decir que los azúcares han sido metabolizados por el cultivo y que el nivel residual de aquellos es bajo. Algunas personas prefieren bebidas secas, mientras que a otras les gustan más almibaradas. Para evitar un resultado seco, probar la bebida mientras la elaboras, tanto durante la primera fermentación como durante la fermentación secundaria, te permitirá controlar la cota de dulzor. Para probarla durante la fermentación primaria, toma una pequeña cantidad con una cuchara desinfectada o un vaso. Durante la fermentación secundaria, puedes abrir una botella tras un periodo de veinticuatro horas. Una vez que la bebida haya alcanzado el nivel de dulzor deseado, todo lo que has de hacer es detener la fermentación embotellándola y refrigerándola.

Bebidas PROBIÓTICAS

Dulce: Todas las bebidas que aparecen en este libro contienen azúcares, consecuencia de un proceso natural (como la lactosa en el caso de la leche o los carbohidratos en los vegetales) o añadidos durante la fermentación. Una vez que el proceso ha concluido, la mayor parte del azúcar se habrá consumido, lo que se traduce en un dulzor final menos acusado.

Si una bebida todavía sabe dulce después de la fermentación, quiere decir que los probióticos y las levaduras no han agotado todos los azúcares, por lo que puedes fermentarla durante más tiempo si así lo deseas. Aquellos que prefieran bebidas más dulces pueden añadir azúcares, como azúcar de caña, miel o fruta, pero este paso se debería llevar a cabo después de la primera fermentación, ya que si lo haces antes puedes provocar la muerte de los cultivos.

Ácido: Algunas bebidas, como la kombucha, el kéfir y el zumo de verduras fermentadas, poseen un ligero toque ácido derivado del proceso de fermentación. No te preocupes; eso no significa que se hayan estropeado, ya que ese es precisamente el sabor que corresponde a muchas de las bebidas que aparecen en este libro tras haber sido sometidas a un proceso fermentativo. Cuanto más fuerte sea la bebida, más ácida sabrá.

Para alcanzar un mayor nivel de acidez, deja que la bebida fermente durante más tiempo, pero ten cuidado, ya que si los probióticos no disponen de azúcar suficiente para alimentarse pueden morir por inanición. También has de prestar atención al nivel de pH de la bebida, porque un pH demasiado ácido es potencialmente dañino para el sistema digestivo.

Cremoso: La consistencia cremosa se suele asociar con los productos lácteos, por lo que es natural que el kéfir o el yogur tengan un sabor y una textura cremosos. Sin embargo, existen otras bebidas que también poseen dichas cualidades. La cerveza de jengibre, por ejemplo, puede presentar un sabor mantecoso cuando no está muy seca (lo que significa que todavía está dulce y que, por lo tanto, los probióticos no han consumido todos los azúcares). El jun también tiene un gusto cremoso debido al sabor que destilan los probióticos una vez que han consumido la miel.

Con sabor a levadura/alimonado: Muchas de las bebidas que aparecen en este libro tienen un ligero sabor a limón o a levadura, signo manifiesto del proceso fermentativo. Las levaduras que se originan en las bebidas probióticas actúan de manera similar a las que están presentes en la masa del pan. Se nutren de los azúcares, crecen como ellas e incluso saben igual que ellas. Estos dos tipos de sabor son más evidentes en el rejuvelac, en el kéfir de agua (o kéfir carbonatado), en los zumos de verduras fermentadas y en la cerveza de jengibre, pero incluso el kéfir de leche y otras bebidas de este tipo pueden presentar un toque sutil a levadura.

Efervescente: Cuando se habla de la fermentación y de la carbonatación natural, el término que se suele utilizar es *efervescente*. Todas las bebidas que aparecen en este libro lo son (¡incluidos el kéfir de leche y el yogur!), aunque unas más que otras. La kombucha, el kéfir carbonatado y la cerveza de jengibre son las bebidas más efervescentes y pueden tener tantas burbujas como un refresco.

La efervescencia se consigue normalmente durante la fermentación secundaria, cuando se han incorporado azúcares adicionales y el líquido ha sido envasado en botellas con cierre hermético. Las bacterias y las levaduras, una vez embotelladas, emiten gases, y esta presión da como resultado una carbonatación natural. Por lo tanto, no te asustes si ves que el zumo de verduras fermentadas, el rejuvelac o la limonada lactofermentada tienen burbujas, ya que se trata de una consecuencia propia del proceso.

Es muy importante prestar atención a las bebidas durante la fermentación secundaria. Cuanto más se prolongue esta fase, más efervescentes serán, lo que significa que las botellas pueden explotar si las bebidas fermentan durante un periodo demasiado largo. También has de tener en cuenta que, aunque la refrigeración ralentiza el proceso fermentativo, no lo detiene. Las bebidas siguen fermentando y carbonatándose en la nevera. Cuando hayan alcanzado el nivel deseado de burbujas, el truco reside en someterlas a la fermentación secundaria durante el tiempo justo para que comiencen a carbonatar, y después dejarlas reposar durante dos días en la nevera antes de beberlas. Esto permite que las bebidas continúen con el proceso de fermentación pero sin provocar una presión excesiva.

Advertencias

Elaborar bebidas fermentadas en casa tiene sus riesgos. Siempre y cuando sigas las instrucciones de este libro y vigiles los probióticos, no solo conseguirás unas bebidas deliciosas, sino que disfrutarás de las satisfacción que conlleva haber sido capaz de producir algo realmente genial (y sano) en tu hogar. Cada sección de este libro detalla los riesgos asociados a la preparación de la bebida y la manera de evitar cometer errores.

Higiene

Es muy importante que todos los utensilios empleados en la elaboración de bebidas probióticas fermentadas estén desinfectados. Proporcionar a los probióticos unas condiciones ambientales sanas no solo asegurará su supervivencia, sino que también ayudará a evitar su contaminación y a obtener un resultado de calidad superior. Asegúrate de leer con cuidado las instrucciones que encontrarás en cada sección y no te olvides de confiar en tu instinto.

Cuando fermentes más de una bebida probiótica a la vez...

Puede que te vuelvas ambicioso o ambiciosa y decidas elaborar varios tipos de bebidas probióticas al mismo tiempo. Lo más probable es que acabes con un montón de jarras y tarros repartidos por toda la casa. Mantén las diferentes clases de bebidas alejadas entre sí (un mínimo de 4,5 metros). Las cepas de probióticos emiten partículas aéreas durante la fermentación y si las partículas de una de las bebidas aterrizan en otra, el cultivo se puede alterar y acabar metamorfoseado en algo completamente diferente. Para garantizar la pureza de los cultivos, procura que estén alejados unos de otros.

Si elaboras más de un tipo de bebida fermentada a la vez, te recomiendo que apuntes la fecha de inicio del proceso de cada una de ellas en un cuaderno o en una hoja de cálculo. De esta manera, podrás utilizar esos datos como referencia en caso de que pierdas la cuenta de los días que una u otra ha estado fermentando. En la fermentación, el tiempo es crucial, por lo que has de tener presente en qué fase se encuentra cada una de las bebidas durante el todo proceso.

Zumos
de verduras
fermentadas

Sobre los zumos de verduras fermentadas

A pesar de que las bebidas probióticas dulces y afrutadas resultan más tentadoras que los zumos de verduras fermentadas, las que encontrarás en esta sección contienen tantos nutrientes y probióticos que superan con creces a cualquiera elaborada a base de fruta. En esta sección encontrarás las bebidas más depurativas y con un mayor contenido en vitaminas y antioxidantes de todo el libro.

Muchas culturas, sobre todo las del este de Europa y la India, se muestran muy receptivas a los salados y amargos zumos de verduras fermentadas. Existen documentos con cientos de años de antigüedad que certifican que en aquella época era más seguro consumir ciertas bebidas, como el kvas de remolacha, que el agua, debido a que los probióticos presentes en el kvas reprimían el desarrollo de las bacterias nocivas y los agentes patógenos que proliferaban en el agua contaminada.

Recientemente se está produciendo un pequeño revuelo en torno a las bebidas fermentadas y por una muy buena razón. Cuando las verduras se someten a un proceso fermentativo, los probióticos consumen sus azúcares naturales, convirtiéndolos en dióxido de carbono y ácidos orgánicos. Dicho proceso da como resultado unas verduras que se consideran «predigeridas». Esto quiere decir que los probióticos han facilitado la descomposición de los carbohidratos favoreciendo así su digestión. El líquido de los vegetales fermentados también está repleto de enzimas y nutrientes que ayudan al sistema digestivo a procesar los alimentos al tiempo que contribuyen a aliviar cualquier malestar estomacal.

Fermentar vegetales es muy sencillo. Lo único que se necesita es una selección de verduras crudas troceadas, agua y sal. Partiendo de esa base, se pueden añadir especias y hierbas aromáticas o cultivos iniciadores como el suero de leche, el cultivo madre del kéfir o el de los zumos de verduras fermentadas. El suero de leche se obtiene colando yogur a través de una tela de muselina (para unas instrucciones más completas, por favor, lee la sección dedicada a la limonada lactofermentada) y los cultivos iniciadores liofilizados se pueden adquirir en tiendas de productos naturales o a través de internet. Por lo general, 240 ml

(1 taza) de suero de leche o un paquete de iniciador liofilizado (unos 5 g) por cada 3,78 litros (1 galón) de líquido sería suficiente para la fermentación.

Ten en cuenta que se pueden elaborar innumerables variantes de zumos de verduras fermentadas, lo que favorece la elección de los ingredientes en función de los gustos de cada uno o de unas necesidades dietéticas concretas. Los mejores resultados se obtienen con las verduras de alto contenido en almidón o en azúcar, ya que son las que más nutrientes aportan a las bacterias y a las levaduras. Vegetales como el repollo, la remolacha, la zanahoria, el pepino, el calabacín, los rábanos, el jengibre, las cebollas, el ajo y la coliflor son buenas opciones para encurtir o elaborar zumos fermentados. A la hora de potenciar el sabor a tu gusto puedes añadir sal marina, granos de pimienta negra o blanca, eneldo fresco u otras hierbas, mostaza molida, guindilla en polvo, etc.

A pesar de que las opciones de alimentos fermentados que puedes adquirir en las tiendas son sabrosas y, en cierta medida, nutritivas, la verdad es que no solo contienen una densidad de nutrientes menor que las elaboradas de manera artesanal en casa, sino que resulta muy difícil encontrar un producto que presente cultivos activos, ya que los procedimientos estándar de la industria requieren la pasteurización de gran parte de los alimentos. Al calentar las verduras fermentadas o los zumos de verdura, los lactobacilos mueren y las enzimas se disuelven, dando lugar a una bebida inerte desde el punto de vista probiótico. En este sentido, se puede disfrutar del sabor del chucrut y de los pepinillos encurtidos que uno encuentra en el mercado, pero obteniendo pocos beneficios nutricionales. Además, beber el líquido de estos alimentos tampoco proporciona la misma ayuda digestiva que la que resulta de la fermentación artesanal.

Los beneficios del zumo de verduras fermentadas para la salud

¿Conoces a alguien, un amigo o un familiar, al que le guste beber el líquido de los encurtidos? Aunque muchos lo encuentren desagradable, para otros es algo muy natural. Sospecho que estos antojos tienen que ver con la necesidad del cuerpo de abastecerse de uno o varios de los nutrientes beneficiosos que se hallan en los zumos fermentados. Desde una perspectiva nutricional, es fácil comprender que uno se muera de ganas de beberse el líquido de los pepinillos o de añadir chucrut a un perrito caliente, ya que los alimentos fermentados y los zumos de verduras fermentadas son increíblemente…

1. **Hidratantes:** Los zumos de verduras fermentadas contienen electrolitos (potasio, magnesio, sodio, etc.) que calman la sed e hidratan mejor que el agua. A pesar de la popularidad de las bebidas deportivas, ima-

gina los beneficios nutricionales derivados del consumo de un vaso de zumo de verdura fermentada en comparación con los de esas bebidas repletas de azúcar.

2. Beneficiosos para mantener un sistema digestivo saludable: Los zumos de verduras fermentadas son ricos en probióticos activos, levaduras y enzimas que favorecen el mantenimiento de una flora intestinal sana, ayudan a descomponer los alimentos y garantizar una absorción óptima de nutrientes.

3. Ricos en vitaminas y minerales: Durante el proceso de fermentación, las vitaminas y los minerales presentes en las verduras se infusionan en el líquido, dando lugar a un elixir muy nutritivo.

4. Efectivos como tratamiento de ciertos trastornos, dolencias e infecciones: Los nutrientes y los probióticos presentes en los zumos de verduras crudas fermentadas son muy efectivos a la hora de tratar problemas digestivos relacionados con el sobrecrecimiento bacteriano (o incluso el infracrecimiento), como la candidiasis, la infección vaginal por hongos levaduriformes, las úlceras o el estreñimiento.

5. ¡Deliciosos!: Bueno, vale, los zumos de verduras fermentadas pueden tener un sabor peculiar, pero te aseguro que con el tiempo te acabará apeteciendo disfrutar de su acidez.

Temperatura y tiempo

Cuanto más baja sea la temperatura de tu casa, más lento será el proceso fermentativo. Durante el verano, este será más corto; por ello, resulta crucial vigilar la evolución de la bebida. El tiempo necesario para la fermentación disminuye si se añade un cultivo iniciador. En caso de no hacerlo, será de al menos cuatro días, con posibilidad de alargarse dependiendo de la intensidad deseada.

Zumo probiótico de repollo y zanahoria

Ingredientes

- ½ repollo, cortado en tiras
- 3 zanahorias, ralladas
- 1 cucharada de jengibre rallado
- 2 cucharaditas de sal marina
- Agua de pozo o mineral para dejar las verduras en remojo

También necesitas

- Un frasco de 2 l (2 qt aprox.)
- Una pieza de tela de muselina o un paño de cocina
- Una goma elástica
- Un cucharón de mango largo para remover

Las verduras frescas contienen microbios y levaduras naturales que con la fermentación prosperan y producen probióticos. Casi todas las verduras se pueden fermentar, pero obtendrás mejor resultado con aquellas que presentan mayor cantidad de azúcar y carbohidratos. Al fermentar en salmuera verduras troceadas como el repollo, las zanahorias, la remolacha, el jengibre, el calabacín, el apio, los pepinos, el ajo o la coliflor, se obtiene una bebida repleta de vitaminas y minerales altamente beneficiosos para la salud digestiva.

Aunque en esta receta encontrarás una lista de ingredientes vegetales específicos, puedes elegir la combinación que más se adapte a tus necesidades nutricionales y a tus gustos. Con el repollo, las zanahorias y el jengibre se obtiene una bebida con propiedades digestivas calmantes que es muy fácil de fermentar, por lo que constituye un buen punto de partida para aquellos que no están familiarizados con este tipo de zumos.

Instrucciones

1. Añade el repollo, las zanahorias, el jengibre y la sal marina a un frasco de 2 litros.

2. Llénalo con agua de pozo o agua mineral.

3. Cubre la boca del frasco con una pieza de tela de muselina (o un paño de cocina) y asegúrala con la goma elástica para evitar que se cuelen insectos.

4. Deja el frasco en un lugar cálido y oscuro durante 4 o 6 días, removiendo bien el contenido dos veces al día. Observarás que en la superficie del líquido se forman burbujas y aparece una espuma grisácea. Se trata

de algo completamente normal (no significa que las verduras se hayan estropeado). Cuando el zumo esté listo desprenderá un aroma ácido y avinagrado (no a podrido) a levadura.

5. Cuela el zumo. Puedes beberlo inmediatamente o transferirlo a una botella con cierre hermético o a un frasco de conserva. Se mantiene en la nevera hasta 1 semana.

CONSEJO

Puedes elaborar una segunda tanda de zumo utilizando las mismas verduras, aunque el resultado no será tan intenso y tardará 6 días en fermentar. Las verduras fermentadas son deliciosas y muy saludables, por lo que también te las puedes comer.

Kvas de remolacha

Ingredientes

- Una remolacha grande, cortada en dados de 1,25 cm (½ in) (unos 600 g [3 tazas])
- Una cucharada de sal marina
- 1,9 l (2 qt) de agua mineral o agua de pozo

También necesitas

- Un tarro de 2 l (2 qt aprox.)
- Una pieza de tela de muselina o un paño de cocina
- Una goma elástica
- Un cucharón de mango largo para remover

El kvas de remolacha es una bebida probiótica de alta densidad nutricional hecha a base de remolacha fermentada, muy apreciada en Rusia y en los países de Europa del Este, donde se consume con asiduidad. Debido a su sabor ácido, salado y terroso, no es muy popular en Estados Unidos, donde estamos más acostumbrados a que las bebidas sean dulces en lugar de saladas. El kvas se elabora tradicionalmente con pan duro, pasas y otras frutas deshidratadas, además de un cultivo iniciador, pero el kvas de remolacha solo necesita remolacha, agua y sal. Si quieres, puedes activar la fermentación añadiendo un cultivo iniciador como el suero de leche, un cultivo liofilizado de kéfir o un cultivo vegetal liofilizado. Dichos iniciadores aceleran el proceso y disminuyen de manera significativa la cantidad de sal necesaria.

Esta bebida fermentada es, probablemente, la más nutritiva y saludable de todo el libro. Eso se debe a la densidad de vitaminas y minerales presentes en la remolacha, además de a sus cualidades probióticas. La remolacha está repleta de antioxidantes, purifica la sangre y puede ralentizar el desarrollo del cáncer o el crecimiento de las células tumorales. También contiene ácido fólico, manganeso, potasio, fibra y vitamina C.

Y por si todo eso no fuera suficiente, sus propiedades beneficiosas se ven intensificadas gracias al proceso de fermentación. El kvas de remolacha favorece la desintoxicación hepática, regula los procesos digestivos, se puede utilizar para tratar las piedras en el riñón y es más hidratante que el agua. La betanina presente en la remolacha aumenta la cantidad de oxígeno que pueden transportar los glóbulos rojos, además de ser una sustancia depuradora de la sangre.

Si el sabor ácido del kvas al principio no te resulta agradable, no te preocupes. Puedes comenzar por añadirlo a una sopa, a un Bloody Mary (o a cualquier otro cóctel con ingredientes vegetales) o al aliño de la ensalada hasta que tus papilas gustativas se adapten a él.

Instrucciones

1. Frota bien la remolacha con un paño o papel de cocina y trocéala en dados de 1,25 cm (½ in). También puedes cortarla en rodajas; lo importante es que cada trozo disponga de una buena cantidad de superficie.

2. Añade la remolacha troceada y la sal marina al tarro de 2 litros.

3. Llena el recipiente con agua mineral o agua de pozo y después cúbrelo con una tela de muselina o un paño de cocina. Asegúralo con la goma elástica.

4. Deja el tarro sobre una encimera o en una alacena durante un mínimo de 4 días hasta un máximo de 2 semanas, removiendo el contenido con frecuencia. Si permites que fermente durante algo más de tiempo, se formará moho en la superficie. Esto es normal. Retíralo con una cuchara y cuela el líquido antes de consumirlo. Aquellos que estén dando sus primeros pasos en la elaboración de kvas de remolacha, pueden comenzar con una fermentación corta (de pocos días) y aumentar el tiempo de fermentado en procesos sucesivos. El líquido tendrá un olor ácido, al igual que su sabor, que ha de ser más ácido que salado. Presentará una efervescencia propia de las levaduras, por lo que se puede formar un poco de espuma gris en la superficie. Dicha espuma no es un indicador de que la bebida se haya estropeado. Simplemente, retírala con una cuchara, remueve la mezcla y continúa con la fermentación hasta que su sabor sea ligeramente ácido y presente una efervescencia leve.

5. Cuando el zumo esté listo, cuélalo y sepáralo de la remolacha. Antes de beberlo, puedes mezclarlo con el zumo de otras verduras o diluirlo con agua si lo prefieres.

Kanji

Ingredientes

- 2 remolachas rojas medianas
- 6 zanahorias medianas
- 2 ½ cucharadas de mostaza en polvo (o de granos de mostaza recién molidos)
- 1 cucharadita de guindilla en polvo
- 1,9 l (8 tazas) de agua tibia (filtrada o de pozo)

También necesitas

- Un frasco de 2 l (2 qt aprox.)
- Una pieza de tela de muselina o un paño de cocina
- Una goma elástica
- Un cucharón de mango largo para remover

Uno de los zumos vegetales fermentados que más se consumen en el mundo es el kanji. Se suele elaborar con zanahorias fermentadas (sobre todo, zanahorias de color morado) y especias para encurtir, pero también se puede utilizar otro tipo de verduras como la remolacha. El recipiente en el que se lleva a cabo la fermentación se deja expuesto directamente a la luz solar durante unos cuantos días para que las enzimas naturales, las levaduras y los microbios presentes en el vegetal se liberen y se multipliquen.

El kanji tiene su origen en el norte de la India, donde las bebidas ácidas y saladas son muy populares. Este brebaje de color morado intenso se sirve habitualmente como aperitivo o como acompañamiento durante las comidas. Al igual que las demás bebidas que encontrarás en este libro, el kanji está repleto de probióticos que ayudan a mantener una flora intestinal sana, lo que favorece la digestión y la absorción de nutrientes, capacitando al organismo para descomponer de manera eficiente aquellos alimentos de difícil digestibilidad. Los beneficios del kanji no solo provienen de los probióticos, sino también de sus vitaminas y minerales.

Instrucciones

1. Lava y pela las verduras. Córtalas en palitos del grosor de una patata frita para maximizar el área de la superficie y transfiérelas a un recipiente de cristal.

2. Añade la mostaza y la guindilla en polvo a un frasco grande.

3. Agrega el agua tibia (filtrada) y remueve hasta que la mostaza y la guindilla en polvo se hayan disuelto.

4. Incorpora las remolachas y las zanahorias troceadas.

5. Cierra el frasco con la tapa o con una tela de muselina asegurada por medio de una goma elástica.

6. Coloca el frasco en el alféizar de la ventana o en un lugar en el que pueda recibir directamente la luz del sol.

7. Deja que fermente durante 2 o 3 días, removiendo una o dos veces al día con una cuchara de madera limpia.

8. El kanji estará listo cuando su sabor sea ácido, hayan ascendido pequeñas burbujas desde el fondo y se haya formado espuma en la superficie. Este proceso no debería tardar más de 3 días en una casa cálida ni más de 5 en una casa con una temperatura más baja.

9. Cuela el líquido y viértelo en vasos o botellas; si lo deseas, puedes comerte las verduras.

10. Refrigera el kanji y sírvelo enseguida. También puedes conservarlo en la nevera hasta 1 semana si está embotellado herméticamente.

CONSEJO

Puedes consumir las remolachas y zanahorias encurtidas o puedes utilizarlas para fermentarlas de nuevo y obtener más cantidad de kanji, aunque esta segunda vez el proceso requerirá un poco más de tiempo.

Rejuvelac

Sobre el rejuvelac

El rejuvelac es el líquido obtenido de la germinación de diferentes semillas. Cuando las semillas se dejan en agua y fermentan, los microorganismos naturales que contienen en su interior y las levaduras presentes en la atmósfera se desarrollan, dando lugar a esta bebida probiótica conocida como *rejuvelac*. Su proceso fermentativo es de los más rápidos y se puede completar en 3 días. Por esta razón, resulta fundamental vigilar las semillas mientras fermentan, ya que se estropean con facilidad si se dejan durante demasiado tiempo. El centeno es el cereal más popular para elaborar rejuvelac, porque su sabor es más agradable que el de otros cereales. Las semillas o granos más recomendados para elaborar esta bebida son el trigo sarraceno, el trigo en grano, la avena, la cebada, la quinoa y el arroz.

A pesar de que el rejuvelac presenta las mismas propiedades beneficiosas que cualquier bebida probiótica de las que aparecen en este libro, su sabor es un tanto peculiar. Es sutil, con un regusto a levadura y ligeramente alimonado. La mayor parte de la gente prefiere beberlo mezclado con zumo de limón recién exprimido u otros tipos de zumos, siempre que sean totalmente naturales. También lo puedes añadir a un smoothie o incluso utilizarlo para cocinar si eres vegano.

El rejuvelac y la alimentación vegana

El rejuvelac se puede beber solo, pero también se puede utilizar como base para elaborar quesos veganos de frutos secos, yogur y salsas. Un ejemplo sencillo de receta de queso vegano no necesitaría más ingredientes que unos anacardos crudos y una pequeña cantidad de rejuvelac. Incluso, con ayuda del rejuvelac, se puede imitar el queso de untar para hacer postres veganos.

RESOLUCIÓN DE PROBLEMAS

Las semillas no deberían tardar más de 2 días en germinar. Si necesitan más tiempo, puede que los granos que estás utilizando hayan sido previamente tostados o sometidos a algún tipo de calor que les impida hacerlo. Por ello, lo mejor es utilizar granos específicos para germinados. Puedes encontrarlos en establecimientos de alimentación natural o en internet.

Rejuvelac básico

Ingredientes

- 185 g (1 taza) de centeno en grano*
- 946 ml (1 qt) de agua mineral o agua de pozo

También necesitas

- Un frasco de 1 l (1 qt aprox.)
- Una pieza de tela de muselina, un paño de cocina o una tapa de germinador
- Una goma elástica

* Como alternativa, puedes utilizar trigo sarraceno, trigo en grano, avena, cebada, quinoa o arroz

Instrucciones

1. Introduce las semillas en el frasco y llénalo con agua. Remueve las semillas.

2. Tapa el frasco con la tela de muselina (o el paño de cocina) y asegúrala con una goma elástica. También puedes utilizar una tapa de germinador a rosca. Deja el frasco a temperatura ambiente (21 °C [70 °F] es lo ideal) en un lugar oscuro durante toda una noche (hasta doce horas).

3. Escurre las semillas y acláralas hasta que el agua salga completamente limpia. Pon las semillas en un colador y agítalo para eliminar el exceso de agua, algo fundamental antes de devolver las semillas al frasco.

4. Introduce de nuevo las semillas en el frasco y tápalo. Vuelve a dejarlo en un lugar sin luz.

5. Cuela y aclara las semillas cada ocho horas, procurando eliminar todo el líquido posible antes de reintroducirlas en el frasco. Repite el proceso hasta que los granos comiencen a germinar (verás brotar unos tallos diminutos de cada una de las semillas). En una casa con una temperatura cálida el proceso no debería durar más de 1 día y ½ o 2 días. Si se trata de una casa fría, puede tardar hasta 3 días.

6. Una vez que las semillas han germinado, llena el frasco con 960 ml (4 tazas) de agua, cúbrelo con una tela de muselina o un paño de cocina asegurado con una goma elástica (o con una tapa de germinador) y déjalo reposar en un lugar oscuro durante 2 días.

7. El líquido es el rejuvelac y debería desprender un aroma a levadura (¡no fétido!) y alimonado. Tendría que ser casi transparente (ligeramente turbio). Observarás como las burbujas ascienden con rapidez desde el fondo —donde están las semillas— hasta la superficie. Esto es un indicador del proceso de fermentación.

8. La mayoría de la gente prefiere beber el rejuvelac frío, por lo que te aconsejo que lo refrigeres en la nevera antes de consumirlo.

9. Puedes utilizar las mismas semillas para obtener una segunda tanda de rejuvelac, que solo tardará 1 día en fermentar.

Rejuvelac y zumo

Ingredientes

- 240 ml (1 taza) de rejuvelac (página 33)
- 240 ml (1 taza) de zumo 100 % natural, como zumo de arándanos rojos (ver fotografía), granada, manzana o arándanos azules

El sabor del rejuvelac no es del agrado de mucha gente. Puede recordar al de la levadura, pero con un toque alimonado, por lo que quizá tardes un tiempo en acostumbrarte a él. Para aquellos que no aprecien su sabor, existen alternativas. Una de ellas es añadir 240 ml (1 taza) de zumo cien por cien natural por cada 240 ml (1 taza) de rejuvelac. De esta manera, no solo disfrutarás de un sabor fabuloso, sino que además obtendrás un beneficio extra para tu salud. También puedes agregar un chorrito de limón recién exprimido para conseguir una bebida refrescante.

Instrucciones

Añade el rejuvelac y el zumo que hayas elegido a un vaso grande o a una jarra, remueve y sirve.

Kombucha

Sobre la kombucha

La kombucha es una bebida probiótica que presenta una efervescencia natural. Originaria del noreste de China, con el tiempo se abrió camino hasta llegar a Rusia. Después se exportó a Alemania y de ahí al resto de Europa y del mundo. Se elabora a partir de un organismo vivo, el denominado *hongo de la kombucha* o, más frecuentemente, SCOBY (del inglés *Symbiotic Culture of Bacteria and Yeast*), es decir, cultivo simbiótico de bacterias y levaduras. A este organismo también se le suele llamar *hongo* o *madre*. Crece, se multiplica, fermenta y se nutre de té y azúcar. Los probióticos y las levaduras consumen el azúcar durante el proceso de fermentación dando lugar una bebida de sabor ácido, rica en probióticos y ligeramente alcohólica. Como ocurre con todas las recetas que aparecen en este libro, es fundamental ser muy cuidadoso a la hora de fermentar organismos vivos.

La kombucha contiene ácido acético, que es un antibiótico natural suave. Debido a su presencia, las bacterias nocivas no pueden desarrollarse en el cultivo, ya que no se dan las condiciones ideales para su supervivencia o para su reproducción, aunque esas mismas condiciones sí favorecen el desarrollo de las bacterias beneficiosas. La kombucha también contiene ácido láctico y es rica en diferentes tipos de vitamina B, ácido fólico y antioxidantes.

Se ha comprobado que la kombucha favorece la digestión, aumenta los niveles de energía, regula la sensación de hambre y equilibra el pH en el tracto digestivo. A pesar de ello, todavía existe un gran debate sobre si de verdad existen pruebas científicas que certifiquen dichas propiedades beneficiosas. Me gustaría insistir en que no es mi intención aseverar que la kombucha mejorará tu salud ni que todo el mundo podrá disfrutar de sus supuestos beneficios. En cualquier caso, lo cierto es que su sabor es maravilloso y que casi todos los que la han probado afirman sentirse bien y tener una mayor regularidad digestiva.

Si alguna vez has comprado kombucha o cualquier otro tipo de bebida probiótica, sabrás que no son baratas. Yo empecé a elaborar kombucha porque la consumía cada día y su coste se estaba volviendo insostenible para mi economía. Con una pequeña inversión inicial, comencé a producirla en mi casa y con el tiempo se ha convertido en algo muy rentable.

Elaborar kombucha puede resultar intimidante al principio, pero que no te desanime la larga lista de instrucciones. La verdad es que se trata de un proceso muy sencillo, aunque me gustaría insistir en la importancia de la seguridad, por lo que te recomiendo que sigas las indicaciones al pie de la letra.

Cómo empezar

Para elaborar kombucha necesitas varios utensilios de cocina más el SCOBY en líquido iniciador. El líquido iniciador es simplemente kombucha artesanal sin sabor añadido. Existen muchas páginas en internet que venden el SCOBY. Te aconsejo que leas las opiniones de aquellos que lo hayan comprado, ya que unos fabricantes ofrecen productos de mayor calidad que otros. Si decides comprar el SCOBY por internet, comienza a elaborar la kombucha en cuanto lo recibas, porque las bacterias estarán un poco alteradas después del viaje y es importante alimentarlas en un entorno saludable lo antes posible.

Mantener el SCOBY y la kombucha sanos

¿Qué significa mantener el SCOBY sano? Trataré este tema en el apartado de instrucciones para elaborar kombucha, pero en esencia significa lo siguiente:

1. Alimentar el SCOBY con una mezcla de té y azúcar; el té negro cien por cien puro es el más adecuado, pero también puedes utilizar té verde cien por cien puro. Los tés sofisticados suelen contener pieles y otros ingredientes que no son buenos conductores para elaborar kombucha. El té negro puro es la mejor opción.
2. Mantenerlo apartado de la luz solar; lo ideal para fermentar kombucha o jun es dejarlos sobre un estante dentro de un armario cerrado durante el proceso.
3. Taparlo, pero permitiendo que las bacterias respiren; para ello, utiliza un paño de cocina o una tela de muselina asegurados con una goma elástica. Esto también evitará que se cuelen insectos.
4. Lo más adecuado es mantener el cultivo a una temperatura óptima, entre 23 y 29 °C (75-85 °F).
5. El SCOBY ha de estar húmedo. Ello se consigue gracias al líquido iniciador. La cantidad recomendada es de 5 cm (2 in) de líquido iniciador por cada 2,5 cm (1 in) de SCOBY.

Recuerda, si compras el SCOBY por internet, comienza a alimentarlo en cuanto lo recibas, ya que las bacterias estarán alteradas por el viaje.

Regalar uno de tus SCOBY

Con cada nueva tanda de kombucha que elabores, obtendrás un nuevo SCOBY. Aunque no ocurre nada si le permites seguir creciendo, he observado que mi SCOBY parece más sano cuando tiene un grosor máximo de unos 7,5 cm (3 in). Puedes separar capas y dárselas a familiares o amigos.

Para hacerlo, añade líquido iniciador (es decir, kombucha) y un SCOBY a una bolsa de plástico. Séllala bien y asegúrate de que la lámina de SCOBY está en posición totalmente horizontal y plana y de que no le da directamente la luz del sol mientras la transportas.

Debido a que las bacterias se pueden alterar durante el viaje, es fundamental sacar el SCOBY de la bolsa lo antes posible para que pueda respirar. Advierte a la persona a la que se lo des que ha de comenzar a elaborar la kombucha con prontitud.

La fermentación de la kombucha

Como ocurre en cualquier proceso de fermentación, los probióticos activos y las levaduras necesitan alimento. En el caso de la kombucha, lo ideal es nutrirla con té y azúcar. Cada vez que elabores kombucha se generará un nuevo SCOBY que crecerá hasta alcanzar la anchura del recipiente que lo contiene. Por ejemplo, cuando hayas elaborado kombucha cinco veces, tendrás cinco capas de SCOBY. Cada nueva fermentación provocará el desarrollo de una nueva capa de SCOBY que no necesitas desechar hasta que el conjunto no alcance un grosor de 7,5 cm (3 in).

Además de té y azúcar, la kombucha requiere una temperatura óptima para prosperar. Lo ideal es mantenerla entre 23 y 29 °C (75-85 °F). Aunque no suele ocurrir nada si se conserva a temperaturas que estén fuera de dicho rango mientras fermenta, notarás diferencia en su intensidad si el proceso se lleva a cabo a temperaturas inferiores a 21 °C (70 °F) o superiores a 32 °C (90 °F). La fermentación a bajas temperaturas requiere más tiempo, mientras que una temperatura alta acelerará el proceso, aunque si es demasiado elevada, puede llegar a matar los probióticos.

La parte divertida de la elaboración artesanal de kombucha es añadirle sabores. A pesar de que puedes beberla una vez concluida la primera fermentación, para que la disfrutes como se merece, lo ideal es someterla a una fermentación secundaria. En el libro he incluido varias recetas con las que obtendrás una kombucha dulce y burbujeante que puedes tomar durante todo el año. Recuerda que el sabor se le añadirá después de la primera fermentación, ya que si agregas antes algo que no sea té puro y azúcar puedes alterar la estructura y la salud de los probióticos.

¿Qué es la fermentación secundaria y cómo funciona?

La fermentación secundaria supone fermentar de nuevo una bebida que ya ha sido fermentada previamente. Cuando fermentas la kombucha, las bacterias y las levaduras consumen el azúcar y el té que tienen a su disposición. Una vez que los probióticos terminan con todo ese alimento, están listos para recibir más. Aquí es donde comienza la fermentación secundaria.

Inmediatamente después de la primera fermentación (antes de refrigerar la kombucha), puedes añadir una cantidad adicional de té y agua para que dé comienzo la fermentación secundaria. También puedes incorporar diferentes tipos de fruta, hierbas aromáticas y flores comestibles y obtener así el sabor que más te guste. Una vez añadidos los ingredientes extra, se procede a embotellar la kombucha, que después se dejará reposar en un lugar oscuro a temperatura ambiente durante dos o tres días, donde continuará el proceso de fermentación.

Como las botellas están selladas, aumentará la presión, lo que hará que la bebida se torne efervescente (o carbonatada de forma natural). Igual que ocurre durante la primera fermentación, cuanto más azúcar añadas, más tiempo necesitarán los probióticos para procesarlo. Si quieres obtener una kombucha dulce, puedes agregar más azúcar (azúcar de caña o fruta) del necesario o simplemente reducir el tiempo de la segunda fermentación a uno o dos días en lugar de dos o tres. El proceso fermentativo se ralentiza cuando refrigeras la kombucha, pero no se detiene por completo.

¡Ahora llega la mejor parte! El nivel de efervescencia de la bebida dependerá de los ingredientes utilizados para llevar a cabo la fermentación secundaria. Según he podido observar, las frutas más ácidas son las que provocan una mayor gasificación. También he descubierto que si dejas la pulpa de la fruta dentro de las botellas durante la fermentación secundaria el resultado es más efervescente. Además de esto, la cantidad de burbujas se incrementará si refrigeras las botellas de kombucha en la nevera durante al menos veinticuatro horas antes de abrirlas.

En resumen, para obtener una kombucha más gaseosa (si eso es lo que buscas), utiliza fruta ácida en el proceso de fermentación secundaria y no te olvides de añadir la pulpa a las botellas. Permite que estas reposen durante dos o tres días a temperatura ambiente. Después, refrigera las botellas en la nevera durante un día o dos antes de abrirlas y beberlas. Las bayas, los albaricoques y la piña son las frutas que producen una kombucha más gasificada. Recuerda que has de acortar el tiempo de la fermentación secundaria si lo que deseas es obtener una bebida más dulce (menos seca).

Debido a la presión y la efervescencia propias de la fermentación secundaria, es muy importante no apuntar con las botellas hacia la cara cuando vayas a abrirlas. Si utilizas botellas de buena calidad con cierre de estribo, lo más probable es que, al abrirlas, el líquido salga disparado (igual que ocurre cuando abres una lata de refresco después de haberla agitado). Por ello, te aconsejo que las abras en el fregadero sin apuntar hacia tu cara o hacia ningún objeto que se pueda romper. Y, sobre todo, nunca permitas que un niño abra una botella de kombucha.

La kombucha: alergias o desintoxicación

Una parte muy pequeña de la población es alérgica a la kombucha. La causa concreta no está clara. Como suele ocurrir cuando se lleva a cabo un programa de depuración por medio de zumos, algunas personas también pasan por un proceso de desintoxicación después de beber kombucha. Esto se puede percibir como una reacción alérgica, pero quizá se trate solo de una reacción orgánica a la eliminación de toxinas. Algunos síntomas de la desintoxicación son el dolor de cabeza, deposiciones más frecuentes, moqueo nasal e incluso vómitos. Si experimentas alguno de ellos, lo mejor es consultar con un médico antes de seguir tomando kombucha.

No se recomienda beber kombucha casera con el estómago vacío. Si sientes dolor después de beberla, puede significar una de estas tres cosas: que la kombucha está mala (algo improbable, a no ser que observes partículas de moho o percibas un sabor fuera de lo normal), que hayas bebido demasiada o que es excesivamente fuerte. Dependiendo de los ingredientes añadidos para la fermentación secundaria, es posible que algunas personas sufran reacciones adversas a uno de ellos mientras que no tengan problemas con el resto.

Tomarse un respiro entre elaboraciones

De ninguna manera es necesario continuar elaborando kombucha sin descanso. Una vez que tu SCOBY está creciendo, te puedes plantear retirar una de sus capas y transferirla a otro recipiente distinto para producir más cantidad de kombucha al mismo tiempo. Si haces esto, existe la posibilidad de que termines con más kombucha de la que puedes beber o quizá llegue un momento en el que, simplemente, te canses de elaborarla. No temas, no tienes que deshacerte del SCOBY. Puedes guardarlo de la misma manera en la que almacenas la kombucha mientras está fermentando: en un tarro cubierto con una tela de muselina (o un paño de cocina) asegurada con una goma elástica.

Es importante que haya una cantidad suficiente de líquido iniciador para que el SCOBY se mantenga húmedo. Lo ideal es 2,5 cm (1 in) de fluido iniciador por cada 2,5 cm (1 in) de SCOBY. Necesitarás ese fluido iniciador para mantener las bacterias con vida y para comenzar el proceso de fermentación una vez que decidas elaborar kombucha de nuevo. Si transcurren varias semanas entre fermentación y fermentación, no olvides echarle un vistazo de vez en cuando al SCOBY para asegurarte de que tiene suficiente líquido iniciador.

Limpiar los utensilios

Es fundamental que todos los utensilios que toquen el SCOBY o la kombucha estén bien desinfectados. Para conseguirlo, puedes lavarlos en el lavavajillas, a mano con agua caliente y jabón o sumergirlos en vinagre blanco destilado durante un par de minutos. La presencia de bacterias nocivas en alguno de los utensilios, por muy insignificante que sea, puede provocar que la kombucha acabe contaminada.

No es necesario limpiar el recipiente en el que fermenta la kombucha entre proceso y proceso, aunque te recomiendo que lo limpies periódicamente (yo limpio el mío cada tres o cinco fermentaciones). Para limpiarlo, vierte todo el líquido de kombucha en botellas (si no lo has hecho todavía), excepto una pequeña cantidad que utilizarás como líquido iniciador en futuras elaboraciones. Transfiere el SCOBY y el líquido iniciador a un vaso o a un cuenco de acero inoxidable y cúbrelo con un paño de cocina. Llena el recipiente con agua muy caliente y jabón y, con una esponja, limpia los restos de cultivo de kombucha. Yo suelo repetir esta operación varias veces para garantizar una desinfección total.

El vinagre blanco destilado actúa como agente desinfectante, por lo que también lo puedes utilizar. Vierte unos 120 ml (½ taza) en el recipiente y agítalo durante un minuto o dos. A continuación, vacíalo. Puedes aclararlo con agua mineral o de pozo o, simplemente, dejarlo tal cual. Un poco de vinagre residual no dañará el SCOBY.

Ahora ya puedes preparar una nueva tanda de kombucha. Para ello, lo primero que has de hacer es añadir la mezcla de té y azúcar al recipiente y después, con mucho cuidado (y con las manos limpias) incorporar el líquido iniciador y el SCOBY. Por último, tapa la boca del recipiente con una tela de muselina asegurada por medio de una goma elástica.

Añadir sabor a la kombucha

A pesar de que no es necesario añadir sabores a la kombucha una vez concluida la primera fermentación, experimentar con ellos es, con mucho, la parte más divertida del proceso. Existen múltiples opciones para dotar a tu kombucha de sabor, intensidad y burbujas. La fruta fresca y las hierbas aromáticas son mis ingredientes favoritos. Añádelos antes de comenzar la fermentación secundaria y obtendrás un resultado efervescente, con el punto justo de dulzor y gran cantidad de beneficios extra para la salud.

Los zumos de fruta cien por cien naturales también son muy efectivos, aunque no tanto como la fruta fresca. A la kombucha le gusta la pulpa de la fruta y tiende a mostrarse más burbujeante si esta se añade a la fermentación secundaria. Por cada 3,78 litros (1 galón) de kombucha se pueden añadir 240 ml (1 taza) de zumo de frutas.

Es importante tener en cuenta la intensidad de la kombucha. Si es fuerte (lo que significa que su pH es inferior a 2,5), dilúyela con una cantidad extra de té y azúcar junto con fruta u otros ingredientes antes de comenzar la fermentación secundaria. Esto asegurará que habrá té y azúcar suficientes para alimentar a los probióticos y así conseguir una fermentación secundaria efectiva, además de garantizar que dicha kombucha se pueda beber sin riesgo alguno.

Para 3,78 litros (1 galón) de kombucha fuerte, deja cuatro bolsas de té infusionando en 960 ml (4 tazas) de agua y añade entre 55 y 110 g (¼-½ taza) de azúcar; esto será suficiente para diluirla, pero dependiendo de su intensidad puedes añadir más cantidad de té. Antes de mezclarla con la kombucha, deja que la infusión (y cualquier otro ingrediente caliente) se enfríe a temperatura ambiente, ya que un calor excesivo puede matar los probióticos.

Al fermentar 3,78 litros (1 galón) de kombucha no se obtiene esa misma cantidad de kombucha para beber, ya que has de reservar una parte para utilizarla como líquido iniciador (por cada 2,5 cm [1 in] de SCOBY, yo suelo reservar 2,5-5 cm [1-2 in]); además, es preferible no llenar totalmente el recipiente para poder transportarlo sin problemas. Por todo ello, obtendrás una cantidad final cercana a los 2,85 litros (¾ galón) o menos, dependiendo del grosor del SCOBY. De igual manera, cuando fermentes kombucha en un recipiente de 7,5 litros (2 galones aproximadamente), no obtendrás 7,5 litros exactos. La mayoría de las personas fermenta una cantidad de 3,78 litros (1 galón) o 7,5 litros (2 galones aproximadamente). Yo suelo hacer 3, 78 litros (1 galón) cada vez; por ello mis recetas se basan en esa cantidad. Eso significa que con los ingredientes de cada receta obtendrás unos 2,85 litros (¾ galón) de kombucha para consumir, pero puedes doblar las cantidades si así lo deseas.

No te extrañe si...

No te extrañe si observas la aparición de una pequeña cantidad de SCOBY en las botellas durante la fermentación secundaria. Debido a que los probióticos y las levaduras continúan fermentándose, forman una colonia durante esa segunda fase fermentativa, que será más clara, viscosa y tendrá un cuarto del tamaño. Si te bebes una por accidente, no te ocurrirá nada malo, aunque su textura glutinosa no suele ser del agrado de casi nadie. Antes de beber la kombucha, utiliza un colador fino para atrapar cualquier colonia de bacterias y levaduras (o la pulpa de la fruta que hayas utilizado para añadir sabor) que se haya formado para que puedas disfrutar de una bebida sin restos de SCOBY.

No te extrañe si ves que debajo del SCOBY se han formado unos hilos largos y marrones. Se trata de colonias de levaduras muy similares a unas algas marinas de color parduzco. Son algo normal y no necesitas retirarlas. Al ver estos hilos peludos, muchas personas creen que el SCOBY se ha estropeado, cuando lo que indican en realidad es que las bacterias y las levaduras están en plena forma.

Consejos sobre seguridad

Elaborar kombucha casera puede ser una actividad arriesgada en caso de no proceder con cuidado. Si eres nuevo en la materia, por favor, lee todo lo que puedas al respecto. Es muy importante mantener todos los utensilios que vayas a utilizar perfectamente limpios y desinfectados para que el SCOBY esté sano. También es fundamental evitar los recipientes de cerámica o plástico para almacenar la kombucha.

Haz uso del sentido común y ten siempre presente el riesgo asociado a la fermentación. Si observas aunque solo sea una cantidad ínfima de moho, deshazte del SCOBY, tira la kombucha y desinfecta a fondo el recipiente que la contenía. El moho de la kombucha es muy similar al del pan. Presenta forma circular, es de color blanco o verde y su textura es rizada. Yo he elaborado kombucha incontables veces y he dejado el SCOBY en líquido iniciador durante un mes seguido y jamás he hallado ni una partícula de moho. Si sigues las instrucciones al pie de la letra y facilitas un entorno saludable para el SCOBY, no tiene por qué suceder nada fuera de lo normal.

Las mujeres embarazadas o que estén dando el pecho deberían consultar con un médico antes de beber kombucha. Hay que tener en cuenta que se trata de una bebida ácida y ligeramente alcohólica, por lo que los niños menores de seis años tampoco deberían consumirla. Los mayores de seis años pueden tomar pequeñas cantidades.

Por favor, lee las instrucciones con mucho cuidado antes de comenzar a elaborar kombucha. Si compras el SCOBY por internet, el fabricante habrá incluido una lista de indicaciones en el producto. Lo más probable es que puedas confiar en ellas, pero para estar seguros, repasa también las que yo te ofrezco.

La kombucha nunca habría de tener un olor o un sabor desagradables. Tendría que ser ligeramente dulce y un poco ácida y su aroma debería presentar iguales características. La kombucha casera suele ser más fuerte que la que puedes encontrar en el mercado, por lo que su aroma y su sabor serán más intensos. Esto es normal. Si percibes un olor fétido o algún sabor extraño, que sospechas que no es el que debería ser, tira toda la kombucha y comienza otra vez con un nuevo SCOBY.

La kombucha casera suele ser tan fuerte que puede parecer que estás bebiendo vinagre. El nivel de pH óptimo en cuanto a acidez debería estar entre 2,5 y 4,5. Un pH ácido evita que la kombucha acabe contaminada por bacterias nocivas. Un pH inferior a 2,5 significa demasiada acidez para el consumo humano, por lo que habrá que diluirla antes de beberla. Si el pH de tu kombucha es inferior a 2,5 añade más té y azúcar y vuelve a comprobar el nivel antes de embotellarla. Un pH superior a 4,5 creará un entorno propicio para el desarrollo de bacterias nocivas.

A pesar de que es totalmente seguro beber kombucha cada día, no es aconsejable beber más de 190-250 ml (6-8 fl. Oz) diarios de kombucha casera. La kombucha industrial se somete a numerosos controles, por lo que beber una cantidad mayor es totalmente seguro. Debido a que la mayoría de las personas que elaboramos kombucha de forma artesanal no disponemos de un equipo avanzado para medir el nivel de pH o de bacterias, lo más inteligente es tomar una cantidad menor para minimizar el riesgo de alterar el equilibrio del sistema digestivo.

Si te preocupa mantener un cierto nivel de pH en la kombucha, puedes comprar tiras medidoras de pH para comprobarlo. Para obtener unas lecturas más exactas, necesitarías hacerte con un aparato medidor de pH, ya que las tiras suelen proporcionar resultados ambiguos. No es necesario medir el nivel de pH de cada elaboración, pero sí es recomendable hacerlo de manera periódica, sobre todo si sospechas que la kombucha está demasiado fuerte.

Si has elaborado kombucha y el resultado ha sido malo y sufres algún malestar después de tomarla, consulta a tu médico inmediatamente. En caso de duda, deshazte SIEMPRE de esa tanda de kombucha y elabora otra. Si el SCOBY que utilizaste para tu primera elaboración estaba en buenas condiciones y seguiste todas las instrucciones al pie de la letra, es improbable que obtengas un mal producto. Pero, aun así, la kombucha puede tener efectos secundarios desagradables, así que lo más aconsejable es ir sobre seguro.

¡Diviértete elaborando kombucha casera!

Los probióticos y las levaduras activos de la kombucha se alimentan de té y azúcar.

Kombucha básica

Ingredientes (obtendrás un poco menos de 3,78 l [1 gal] de kombucha)

- 1 SCOBY de kombucha
- 3, 78 l (1 gal) de agua mineral o de pozo. No utilices agua del grifo, porque lo más probable es que contenga cloro o fluoruro.
- 10 bolsitas de té negro o verde (sin añadidos)*
- 200 g (1 taza) de azúcar de caña

También necesitas

- Una cazuela grande para hervir el agua
- Un termómetro adhesivo o flotante

* Asegúrate de que el té es cien por cien negro o cien por cien verde. Muchos productores añaden piel de naranja al té negro, que contiene aceites esenciales que no son buenos para la fermentación. Limítate solo a los que son totalmente puros para obtener un mejor resultado.

- Un recipiente grande (de unos 4 l [1 gal aprox.] o más) de cristal para fermentar la kombucha
- Un cucharón de mango largo para remover
- Una pieza de tela de muselina o un paño de cocina transpirable
- Una goma elástica
- Una jarra de cristal u otro utensilio adecuado para transferir la kombucha del recipiente a las botellas o al vaso que utilizarás para beberla
- Un colador fino (yo utilizo un filtro de café metálico)
- Botellas de cristal con cierre hermético. Tanto los cierres de rosca como los de estribo son adecuados. Las botellas de cristal oscuro son las más

apropiadas, ya que a la kombucha no le gusta demasiado la luz del sol.

Elementos opcionales

- Vinagre blanco destilado para limpiar el recipiente donde fermenta la kombucha
- Un aparato calentador, como una mantita eléctrica, que ayudará a mantener la temperatura adecuada de la kombucha si tu casa es fría durante el invierno.
- Manta térmica. Se usa para preservar el calor. Durante los periodos más fríos puedes envolver el recipiente de la kombucha con una manta eléctrica y asegurar el calor con ella. Es un método que funciona de maravilla.

Cómo elaborar kombucha casera

1. Desinfecta todos los utensilios que vayas a utilizar en el proceso. Esto se puede hacer lavándolos en el lavavajillas, a mano con agua muy caliente y jabón o con vinagre blanco destilado.

2. Lleva el agua a ebullición. Si vas a elaborar 3,78 litros (1 galón) de kombucha, no necesitas hervir esa cantidad de agua; la mitad será suficiente para infusionar el té. De esta manera, puedes utilizar la otra mitad para enfriar la infusión una vez hecha.

1. Añade agua a una cazuela previamente desinfectada

8 y 9. Cubrir el recipiente con una tela de muselina permitirá que la kombucha respire mientras fermenta

3. Cuando el agua haya alcanzado el punto de ebullición, retírala del fuego e incorpora las bolsas de té. Deja que se infusionen durante 8 o 10 minutos y después retíralas.

4. Añade el azúcar de caña y remueve bien para que se disuelva.

5. Espera a que el té se enfríe hasta alcanzar una temperatura de 23-29 °C (75-85 °F) (o si solo has utilizado la mitad del agua, añade la otra mitad para acelerar el proceso).

6. Una vez que el té se encuentre en el rango óptimo de temperatura, viértelo en un recipiente de cristal y añade el SCOBY (si esta es la primera vez que elaboras kombucha y has comprado el SCOBY por internet, simplemente sácalo del envoltorio e incorpóralo al té).

7. Si tienes un termómetro que se puede adherir a distintas superficies, pégalo en la parte exterior del recipiente (opcional).

8. Tapa el recipiente con una tela de muselina para que la kombucha pueda respirar.

9. Asegura la tela de muselina ajustando una goma elástica alrededor.

10. Coloca el recipiente en un lugar oscuro (como un armario) que tenga una temperatura relativamente cálida y que no sufra irrupciones de gente o luz.

11. Permite que la kombucha fermente de 5 a 7 días (cuanto más tiempo fermente, más azúcar consumirán las bacterias y más fuerte será la bebida).

12. Comprueba la temperatura de la kombucha con frecuencia. Para obtener un mejor resultado, debería mantenerse entre 21-29 °C (70-85 °F). Si la temperatura está por debajo de los 21 °C (70 °F) no es muy grave, pero la kombucha necesitará más tiempo de fermentación. Por otro lado, si la kombucha supera los 29 °C (85 °F), los probióticos pueden morir. Si observas moho (como el que aparece en el pan, de color verde o blanco y con círculos rizados), deshazte tanto del SCOBY como de la kombucha.

13. Cuando la kombucha esté lista, retira la tela de muselina. Verás que el SCOBY presenta un mayor tamaño (habrá crecido hasta alcanzar la anchura del recipiente que lo contiene y se habrá formado un segundo SCOBY). Los SCOBY siempre están creciendo. Una vez que alcance un grosor de unos 5 cm (2 in), te recomiendo retirar una capa o dos y desecharlas o dárselas a un amigo, junto con una pequeña cantidad de líquido iniciador para que pueda elaborar su propia kombucha.

14. Ahora que la kombucha ha completado la primera fermentación, puedes embotellarla y finalizar aquí el proceso o añadir más ingredientes según las recetas que aparecen en este libro. Lo más cómodo es transferirla a una jarra, ya que con ella resulta más fácil trasvasar el líquido a las botellas.

15. Una vez que hayas embotellado la kombucha puedes tomarte un respiro y dejar el SCOBY en el líquido iniciador dentro de un tarro cubierto con una tela de muselina asegurada con una goma elástica, o puedes elaborar otra tanda de kombucha. Siempre y cuando el SCOBY repose en un buen entorno, puede mantenerse sano durante meses entre elaboración y elaboración. Deja el recipiente en un lugar cálido, oscuro y tranquilo (de la misma forma que procederías en caso de estar elaborando kombucha). Asegúrate de inspeccionar el SCOBY antes de una nueva fermentación, sobre todo si ha estado reposando durante más de un par de semanas. Por cada 2,5 cm (1 in) de SCOBY yo suelo reservar unos 5 cm (2 in) de líquido iniciador.

16. Si decides añadir ingredientes para llevar a cabo la fermentación secundaria, sigue las indicaciones de la receta y deja reposar las botellas de kombucha 2 o 3 días a temperatura ambiente en un lugar oscuro. Durante este proceso, los cultivos de bacterias y levaduras consumirán el azúcar que hayas añadido (la fructosa de los zumos o el azúcar de caña) y continuará con el proceso fermentativo. Esto dará como resultado una kombucha más fuerte y con burbujas (o efervescente, como se dice en la industria). Es importante tener en cuenta que durante la fermentación secundaria se formará una pequeña cantidad de SCOBY en cada botella, que tendrás que retirar antes de beber la kombucha.

17. Refrigera la kombucha en la nevera durante 24 horas antes de consumirla para obtener un resultado óptimo. Cuanto más baja sea la temperatura, más se ralentizará la fermentación (lo que no significa que el proceso se detenga por completo); las temperaturas bajas parecen favorecer la aparición de burbujas.

18. Atrévete con diferentes sabores, felicítate por haber alcanzado tu objetivo y disfruta de tu kombucha casera.

Kombucha de granada (kombucha y zumo)

Ingredientes
(se obtienen casi 3,78 l [1 gal] de kombucha)

- 240 ml (1 taza) de zumo de granada 100 % natural (o el zumo que prefieras)
- 2,85 l (¾ gal) de kombucha (página 47)

A las primeras tandas de kombucha que elaboré les agregué distintos zumos cien por cien naturales, como zumo de granada, pera, arándanos azules y arándanos rojos. Se trata de una manera muy sencilla y rápida de añadir sabores, además de vitaminas, minerales y antioxidantes.

Por lo general, 240 ml (1 taza) de zumo por cada 3,78 litros (1 galón) o una cantidad ligeramente inferior (2,85 l o ¾ gal) de kombucha será suficiente para que se produzca la fermentación secundaria. El zumo de granada aporta dulzor, acidez y gran cantidad de antioxidantes.

Instrucciones

1. Combina la kombucha y el zumo en una jarra grande o en un tarro y remueve bien.

2. Transfiere el resultado a varias botellas con cierre hermético y déjalas reposar en un lugar cálido y oscuro durante 2 o 3 días para que se produzca la fermentación secundaria.

3. Refrigera la kombucha para ralentizar el proceso fermentativo.

CONSEJO

Si añades zumo a la kombucha antes de la fermentación secundaria, el resultado no será tan efervescente como si añadieras fruta fresca con pulpa. La kombucha reacciona con más fuerza durante la segunda fermentación si se le agregan ingredientes con textura, dando lugar a una bebida más gasificada. No obstante, añadir zumo aporta un gran sabor, es saludable y muy sencillo.

Kombucha de limón y jengibre

Ingredientes

- 960 ml (4 tazas) de agua
- 3 cucharadas de jengibre fresco rallado
- 3 cucharadas de zumo de limón recién exprimido
- 100 g (½ taza) de azúcar de caña
- 2,85 l (¾ gal) de kombucha (página 47)

Consumir kombucha de limón y jengibre durante el invierno, la estación del frío y las gripes, es muy beneficioso. No solo ayuda a activar el sistema inmunitario, sino que tanto el limón como el jengibre son muy efectivos para combatir los resfriados. Además, se trata de una bebida deliciosa. Cuando se combinan, el jengibre y el limón producen un sabor casi cremoso, suavizando el resultado que esperarías de ellos por separado para hacer feliz a tu paladar.

Instrucciones

1. Añade el agua y el jengibre rallado a una cazuela y llévalos a ebullición. Reduce el fuego a temperatura media y mantén el hervor durante unos 5 minutos para que el jengibre transfiera su sabor al agua.

2. Retira la cazuela del fuego y añade el zumo de limón y el azúcar. Remueve bien hasta que el azúcar se disuelva.

3. Espera a que el contenido de la cazuela se enfríe hasta alcanzar la temperatura ambiente. Esto hará que el jengibre aporte todo su sabor a la infusión.

4. Cuando la infusión de jengibre se haya enfriado, trasvásala a una jarra o tarro y combínala con la kombucha (dependiendo del tamaño de la jarra puede que necesites realizar este paso por partes).

5. Remueve la kombucha y la infusión de jengibre y después transfiere la mezcla a unas botellas de cristal. Reparte el jengibre entre todas las botellas. Ciérralas bien.

6. Deja reposar las botellas en un lugar cálido y oscuro de 2 a 4 días para que se produzca la fermentación secundaria. Una vez concluido el proceso, refrigera la kombucha para ralentizar la fermentación.

7. Antes de beberla, cuélala con un colador fino para separar el jengibre y la nueva capa de SCOBY que se habrá formado. Desecha el jengibre y, a continuación, disfruta de esta bebida tan sana.

Kombucha de manzana y canela

Ingredientes

- 4 bolsitas de té con sabor a manzana
- 960 ml (4 tazas) de agua
- 1 cucharadita de canela en polvo
- ⅛ cucharadita de nuez moscada en polvo
- 100 g (½ taza) de azúcar
- 90 g (3 oz) de láminas de manzana deshidratadas (sin conservantes)★
- 2,85 l (¾ gal) de kombucha (página 47)

La kombucha de manzana y canela es mi favorita durante los meses de otoño e invierno. Las especias cálidas y el sabor dulce y ácido de la manzana hacen de ella una bebida reconfortante. Como los ingredientes empleados son sencillos y fáciles de encontrar en cualquier época del año, esta receta es ideal para elaborarla en grandes cantidades y conservarla en botellas que podrás disfrutar durante semanas.

★ Compra la manzana deshidratada en establecimientos de alimentos naturales para evitar la presencia de conservantes. La lista de ingredientes deshidratados para estas elaboraciones no es muy extensa, por lo que merece la pena pagar un poco más si de esta manera garantizas que la kombucha se mantendrá en buen estado y no experimentará ninguna reacción adversa atribuible a componentes o sustancias químicas innecesarias.

Instrucciones

1. Añade 960 ml (4 tazas) de agua a una cazuela y llévalas a ebullición.

2. Retira el agua del fuego, añade las bolsas de té con sabor a manzana y deja que infusionen de 5 a 8 minutos.

3. Agrega el azúcar y remueve para que se disuelva.

4. Espera a que el té de manzana azucarado se enfríe hasta alcanzar la temperatura ambiente. Puedes acelerar el proceso refrigerándolo en la nevera o colocándolo sobre un cuenco con hielo.

5. Corta las láminas de manzana deshidratada por la mitad e introduce dos mitades en cada botella antes de rellenarlas con la kombucha. Cierra las botellas.

6. Déjalas reposar en un lugar cálido y oscuro de 2 a 4 días para se produzca la fermentación secundaria.

7. Refrigera la kombucha en la nevera. Antes de beberla, cuélala para retirar la pequeña cantidad de SCOBY que se habrá formado.

Kombucha de moras y salvia

Ingredientes

- 400 g (2 tazas) de moras maduras
- 15-20 (0,65 oz) hojas grandes de salvia, picadas
- 65 g (⅓ taza) de azúcar de caña
- 2,85 l (¾ gal) de kombucha (página 47)

Las ácidas y dulces moras aportan un toque alegre a la kombucha, ya que producen una bebida más burbujeante y la dotan de un sabor más intenso. Por su parte, la salvia le proporciona un suave tono terroso. Las moras son ricas en antioxidantes y fibra. Facilitan la digestión, favorecen la salud cardiovascular, protegen contra las células cancerígenas y contra las enfermedades neurológicas, etc. La salvia pertenece a la familia de la menta y es muy beneficiosa para la salud, por lo que su uso medicinal está muy extendido. Posee propiedades antiinflamatorias, mejora la memoria, se puede usar como antiséptico, alivia las reacciones alérgicas y las picaduras de mosquito y está repleta de antioxidantes.

Instrucciones

1. Calienta las moras a fuego medio en una cazuela tapada. A medida que se vayan calentando, observarás que comienzan a burbujear y a ablandarse. Tritúralas con un tenedor.

2. Una vez que hayas obtenido un zumo pulposo, añade el azúcar y la salvia y llévalos a una ebullición suave.

3. Reduce el fuego a intensidad media-baja, vuelve a tapar la cazuela y deja que se fusionen los sabores durante 15-20 minutos. No te pases con la cocción o la mezcla espesará en exceso.

4. Deja reposar unas botellas de kombucha en un lugar cálido y oscuro de dos a cuatro días para que se produzca la fermentación secundaria.

5. Combina la kombucha y la mezcla de moras y salvia en un recipiente o en una jarra grande. Mezcla bien y transfiere el líquido a unas botellas con cierre hermético, incluyendo la pulpa de moras y las hojas de salvia. Cierra las botellas.

6. Permite que reposen en un lugar cálido y oscuro durante 2 o 3 días para que se produzca la fermentación secundaria. Cuanto más tiempo repose la kombucha, más azúcar consumirán los probióticos, lo que dará como resultado una bebida menos dulce y más gaseosa.

7. Refrigera la kombucha durante 24 horas después de que se haya completado la fermentación secundaria. Esto ralentizará la fermentación, pero no la detendrá por completo. Cuanto más tiempo repose en la nevera, más burbujas se producirán.

8. Antes de beber la kombucha, cuélala con un colador fino para separar las hojas de salvia, la pulpa de las moras y el pequeño SCOBY que haya podido formarse durante la fermentación secundaria. ¡Que la disfrutes!

Kombucha de jazmín

Ingredientes

- **720 ml (3 tazas) de agua**
- **3 bolsas de té de jazmín**
- **100 g (½ taza) de azúcar**
- **2,85 l (¾ gal) de kombucha (página 47)**

A pesar de que la kombucha fermenta mejor con té cien por cien negro, para la segunda fermentación se pueden utilizar otras variedades de té de sabores. Puedes añadirlos en bolsitas o en hojas sueltas.

Esta bebida relajante posee un aroma y un sabor maravillosos. El té de jazmín es una infusión que calma los nervios y disminuye el ritmo cardiaco. Diversos estudios han mostrado que el jazmín puede prevenir las apoplejías y el cáncer de esófago. Además, se trata de una forma muy sencilla de añadir un sabor suave y floral a la kombucha durante la segunda fermentación.

Instrucciones

1. Hierve el agua en una cazuela.

2. Añade las bolsitas de té y deja que infusionen durante 5-8 minutos.

3. Incorpora el azúcar y remueve para que se disuelva.

4. Espera a que la infusión se enfríe hasta alcanzar la temperatura ambiente. Para acelerar el proceso, puedes introducir la cazuela con el té en un recipiente con cubitos de hielo o refrigerarlo en la nevera.

5. Combina la infusión de jazmín con la kombucha en una jarra grande y remueve.

6. Vierte la mezcla en varias botellas con cierre hermético y ciérralas.

7. Deja que las botellas reposen en un lugar cálido y oscuro de 2 a 4 días para que se produzca la fermentación secundaria.

8. Una vez finalizada, refrigera las botellas. Cuando vayas a beberlas, ábrelas con cuidado, ya que se puede haber acumulado presión en el interior.

Kombucha de piña

Ingredientes

- 400 g (2 tazas) de piña troceada en dados de 0,62-1,25 cm (¼-½ in)
- 2,85 l (¾ gal) de kombucha (página 47)

¿Te apetece probar una kombucha muy dulce y con muchas burbujas? ¡Aquí la tienes! Al añadir la piña troceada a la kombucha antes de la segunda fermentación, se obtiene una bebida muy gasificada. Según mi experiencia, cuanto más ácida es la fruta, mayor es la efervescencia de la kombucha. Por ello, las frutas ácidas son una excelente opción para aportar sabor a este tipo de bebidas. Lo fundamental en estos casos es utilizar botellas irrompibles y proceder con mucho cuidado a la hora de abrirlas una vez completada la fermentación secundaria.

Para esta receta en particular recomiendo utilizar botellas con tapón de rosca, ya que después de la fermentación secundaria se produce tanta presión que si se utilizan botellas con cierre de estribo, al abrirlas, el líquido saldrá con fuerza. Con los tapones de rosca se puede regular la velocidad de apertura de la botella y, mientras la abres, se va liberando la presión poco a poco. Por seguridad, no permitas que los niños abran las botellas de kombucha de piña. Hay que hacerlo con cuidado y sin apuntar a nadie, ni siquiera a uno mismo. Dicho proceder se aplica a cualquier bebida efervescente que aparezca en este libro.

A pesar de que la kombucha de piña requiere un poco más de planificación y precaución, el esfuerzo merece la pena por su increíble sabor tropical y por lo refrescante que resulta tanto en primavera como a principios de verano, cuando la piña está en su mejor momento.

Instrucciones

1. Distribuye los dados de piña de manera equitativa entre las botellas que vayas a utilizar para envasar la bebida.

2. Transfiere la kombucha a las botellas con la piña.

3. Cierra las botellas y déjalas en un lugar oscuro y cálido (un armario, por ejemplo).

4. Permite que reposen durante 2 o 3 días para que se produzca la fermentación secundaria.

5. Refrigera la kombucha durante al menos 24 horas antes de beberla. Si la dejas en la nevera más de 1 día obtendrás una bebida más efervescente.

Kombucha de frambuesa y menta

Ingredientes

- 185 g (6 oz) de frambuesas
- 25 g (0,75 oz) de hojas de menta fresca picadas
- 100 g (½ taza) de azúcar
- 60 ml (¼ taza) de agua
- 2,85 l (¾ gal) de kombucha (página 47)

De la combinación de frambuesas y menta se obtiene una refrescante bebida dulce y ligeramente ácida, de sabor intenso. Las frambuesas frescas se calientan con las hojas de menta para que los sabores afloren e infusionen. Esta bebida se puede tomar en todas las épocas del año, pero resulta particularmente apetecible en verano, la temporada óptima de las frambuesas.

Instrucciones

1. Retira las hojas de menta de los tallos y, con las manos, rómpelas en pedazos (en mitades o tercios).

2. Añade las frambuesas, la menta, el azúcar y el agua a una cazuela pequeña y hierve a fuego medio.

3. Tritura las frambuesas con un tenedor hasta que hayan perdido la forma.

4. Reduce el fuego a temperatura media y deja que la mezcla continúe hirviendo con suavidad durante unos 5 minutos, para que la menta infusione.

5. Retira la cazuela del fuego y espera a que la mezcla se enfríe hasta alcanzar la temperatura ambiente. Para acelerar el proceso, transfiérela a un cuenco o a un vaso e introdúcela en la nevera.

6. Combina las frambuesas y la menta con la kombucha en una jarra grande.

7. Remueve bien y, a continuación, repártela en botellas.

8. Con ayuda de una cuchara, añade a las botellas la pulpa de frambuesas y menta que ha quedado en el fondo del cuenco; intenta distribuirla entre las distintas botellas de manera equitativa.

9. Deja reposar las botellas en un lugar oscuro y templado de 2 a 4 días, para someter a la kombucha a la fermentación secundaria.

10. Refrigérala durante al menos 24 horas antes de beberla. Cuanto más esperes, más efervescente será el resultado.

11. Cuando la kombucha esté lista, cuélala con un colador fino para separar la pulpa y el pequeño SCOBY que se haya formado. ¡Disfruta!

Kombucha de higos

Ingredientes (obtendrás un poco menos de 3,78 ml [1 gal] de kombucha)

- 6 higos maduros, picados finamente
- 2,85 l (¾ gal) de kombucha (página 47)

Incorporar higos a la kombucha, los smoothies e incluso a algunos productos de repostería es una manera excelente de aportar dulzor de manera natural. Los higos son ricos en fructosa y presentan un sabor muy sutil, por lo que resultan perfectos para añadir intensidad sin que enmascaren el sabor del resto de los ingredientes. Esta bebida es burbujeante, dulce y muy original. Utiliza un higo por cada botella de medio litro (16 fl. Oz) y de esta manera podrás adaptar la receta a la cantidad que desees conseguir. Si utilizas los 2,85 litros (¾ galón) de kombucha, obtendrás 6 botellas (recuerda que no hay que llenarlas por completo).

Instrucciones

1. Añade 1 higo picado a cada botella de kombucha de ½ litro (16 fl. Oz).

2. Cierra las botellas y déjalas reposar en un lugar cálido y oscuro durante 2 días para que se produzca la fermentación secundaria.

3. Refrigera la kombucha de higos durante 24 horas para obtener un mejor resultado.

4. Antes de beberla, cuélala con un colador fino para retirar la pulpa de higo (y el SCOBY que se haya podido formar). ¡Que la disfrutes!

Jun

Sobre el jun

El jun es un pariente de la kombucha que se fermenta de igual manera que esta, excepto por el hecho de que el proceso se lleva a cabo con miel y té verde en lugar de azúcar y té negro. El jun se elabora a partir de un organismo vivo denominado SCOBY (del inglés *Symbiotic Culture of Bacteria and Yeast*), es decir, cultivo simbiótico de bacterias y levaduras. Hay que tener en cuenta que el SCOBY del jun es diferente al de la kombucha. Por esta razón, el jun no se puede elaborar usando la misma colonia de bacterias y levaduras que se usa en el caso de la kombucha y viceversa. Los cultivos de bacterias no son intercambiables y cada uno de ellos prefiere nutrirse de un tipo específico de alimentos. Cuando elabores jun has de tomar las mismas precauciones que a la hora de elaborar kombucha.

A pesar de que el sabor del jun es similar al de la kombucha, en el caso del jun prevalece el de la miel, por lo que resulta más cremoso, mientras que el de la kombucha es más avinagrado. Por esta razón, cuando añadas sabor al jun, si quieres disimular el de la miel necesitarás utilizar ingredientes potentes, como bayas, algunas especias de naturaleza intensa o hierbas aromáticas, ya que si incorporas ingredientes con sabores suaves quedarán anulados por el de la miel. A pesar de que existen algunos fabricantes de jun a pequeña escala, esta bebida es mucho menos popular que la kombucha y no hay ninguna gran empresa que la comercialice.

Los beneficios del jun para la salud

Como la kombucha, el jun ayuda a equilibrar el sistema digestivo y puede aliviar algunos problemas gástricos. También se utiliza para tratar y prevenir la artritis u otro tipo de inflamación de las articulaciones. Consumir jun refuerza el sistema inmunitario y aumenta los niveles de energía.

Tiempo de conservación

Cuando se almacena de manera segura en botellas cerradas herméticamente, el jun se conserva en la nevera hasta 1 mes sin perder sus propiedades. Por esta razón, no es mala idea elaborarlo en grandes cantidades para tomarlo cuando lo desees.

Consejos sobre su elaboración

Cada vez que elabores jun se formará un nuevo SCOBY. Puedes permitir que siga creciendo, pero según mi experiencia, los mejores resultados se obtienen cuando el SCOBY no supera los 5-7cm (2-3 in) de grosor. Igual que ocurre en el caso de la kombucha, puedes retirar una capa de SCOBY y regalársela a algún amigo o a algún familiar para que elabore su propio jun.

Observarás que, después de haber elaborado varias tandas de jun, bajo el SCOBY habrán aparecido unos hilos marrones de aspecto similar al de algunas algas marinas. Estas tiras de levadura son perfectamente normales y sanas. No existe razón alguna para deshacerte de ellas.

Debido a que necesitarás reservar algo de líquido iniciador (yo suelo guardar 5 cm [2 in] de líquido por cada 2,5 cm [1 in] de SCOBY) y a que, por su parte, el SCOBY ocupa espacio, cuando hablo de fermentar 3,78 litros (1 galón) de jun no obtendrás esa misma cantidad de jun bebible, sino una cantidad más cercana a los 2,85 litros (¾ galón); por eso todas las recetas de esta sección requieren 2,85 litros (¾ galón) de jun.

A la hora de elaborar jun te recomiendo que tomes las mismas precauciones que en el caso de la kombucha. Utiliza siempre recipientes de cristal y presta atención a la temperatura de tu casa para que el SCOBY se mantenga en perfectas condiciones.

Antes de comenzar con el proceso fermentativo, te aconsejo que leas detenidamente la sección dedicada a la kombucha, ya que en este caso se aplican las mismas pautas.

Jun básico

Ingredientes

- 1 SCOBY de jun más líquido iniciador
- 3,78 l (1 gal) de agua mineral o de pozo
- 8-10 bolsas de té verde
- 165-250 g (½-¾ taza) de miel

También necesitas

- Una cazuela grande para hervir el agua
- Un recipiente grande de cristal, de unos 4 litros (1 gal aprox.) para fermentar el jun
- Un cucharón de mango largo para remover
- Un termómetro adhesivo o flotante
- Una pieza de tela de muselina o un paño de cocina transpirable
- Un colador fino (yo utilizo un filtro de café metálico)
- Una goma elástica
- Una jarra de cristal u otro utensilio adecuado para transferir el jun del recipiente a las botellas o al vaso que utilizarás para beberlo
- Botellas de cristal con cierre hermético. Los cierres de rosca o de estribo son los más adecuados. Lo ideal sería utilizar botellas de cristal oscuro, ya que al jun no le gusta demasiado la luz del sol.

OBSERVACIÓN

El fabricante del SCOBY probablemente habrá incluido una página de instrucciones en el paquete. Utiliza las proporciones de agua, azúcar y té recomendadas, sobre todo si se trata de un SCOBY pequeño, ya que 3,78 litros (1 galón) quizá sea una cantidad demasiado grande para comenzar, dependiendo del diámetro y el grosor del SCOBY.

Instrucciones

1. Calienta 1,9 l (½ gal aprox.) de agua en una cazuela hasta que hierva.

2. Retira la cazuela del fuego y añade las bolsas de té. Un par de minutos después, agrega la miel, remueve y deja que el té continúe infusionando durante 5-8 minutos más.

3. Retira las bolsitas de té y deséchalas.

4. Para enfriar la temperatura de la infusión, añade los otros 1,9 litros (½ galón) de agua a la cazuela.

5. A continuación, comprueba la temperatura con un termómetro. Debería estar a 23-29 °C (75-85 °F) para una fermentación óptima. Tu objetivo será mantener el té en este rango de temperaturas durante el proceso fermentativo, aunque las bacterias también sobrevivirían a temperaturas próximas a las marcadas.

6. Cuando el té haya alcanzado la temperatura idónea, transfiérelo a un tarro o a una jarra grande de cristal. Añade el SCOBY y el líquido iniciador (este es simplemente jun fermentado).

7. Tapa el recipiente con una pieza de tela de muselina (o un trapo de cocina) y asegúrala con una goma elástica. Déjalo en un lugar oscuro y cálido, a 23-29 °C (75-85 °F), de 5 a 7 días. Cuanto más fermente el jun, menos contenido residual de azúcar presentará y más fuerte será el resultado. El jun estará listo cuando ya no se aprecie el sabor a té con miel y tenga la intensidad deseada (según tus gustos).

8. Una vez concluido el proceso de fermentación, tienes dos opciones. Puedes finalizar en este punto, embotellar el jun y refrigerarlo, o puedes añadirle más té con miel, fruta, hierbas aromáticas o flores comestibles y someterlo a una fermentación secundaria. Si eliges aportar sabor al jun, sigue las recetas de esta sección (o prueba las de la sección dedicada a la kombucha, sustituyendo el azúcar por la miel).

9. Para preparar más cantidad de jun repite la operación. Si decides esperar antes de elaborar una nueva tanda, tapa el jun con una pieza de tela de muselina y almacénalo en un lugar cálido y oscuro hasta que vuelvas a necesitarlo.

Para una información más detallada sobre las precauciones que debes tener en cuenta en materia de seguridad durante el proceso de elaboración de jun, lee las instrucciones de la sección dedicada a la kombucha (páginas 37-45).

Jun de arándanos azules y albahaca

Ingredientes

- 400 g (2 tazas) de arándanos frescos
- 25 g (0,75 oz) de hojas de albahaca, picadas
- 2 cucharadas de miel
- 120 ml (½ taza) de agua
- 2,85 l (¾ gal) de jun (página 69)

Mezclar hierbas aromáticas y frutas para producir nuevos sabores ofrece unos resultados maravillosos. A pesar de que en un principio se podría pensar que las hierbas solo armonizan bien con platos salados, lo cierto es que son un complemento ideal para casi cualquier fruta. La combinación de arándanos azules y albahaca es una de mis favoritas. Gracias al sabor alegre de los arándanos fusionado con el dulzor terroso de la albahaca se obtiene una bebida única, de sabor intenso y muy jovial. Te animo a que arriesgues a la hora de combinar frutas y hierbas aromáticas; obtener un mal resultado es casi imposible.

Instrucciones

1. Añade los arándanos, las hojas de albahaca, el agua y la miel a una cazuela. Tapa y lleva a ebullición.

2. Reduce el fuego y deja que hierva suavemente durante 5 minutos para fusionar los sabores.

3. Retira la cazuela del fuego y espera a que la mezcla alcance la temperatura ambiente. Para acelerar el proceso, pásala a un cuenco y refrigérala en la nevera.

4. Combina la mezcla de arándanos y albahaca con el jun en una jarra. A continuación, transfiere el jun a unas botellas de cristal con cierre hermético. Ciérralas bien.

5. Deja reposar las botellas a temperatura ambiente en un lugar oscuro durante 2 días para que se produzca la fermentación secundaria.

6. Para disfrutar de un mejor resultado, refrigera las botellas en la nevera durante 24 horas antes de consumir el jun.

7. Cuando vayas a tomarlo, cuélalo con un colador fino para separar la pulpa de los arándanos y las hojas de menta del líquido.

Jun de té chai

Ingredientes

- 960 ml (4 tazas) de agua
- 3 bolsitas de té verde
- 85 g (¼ taza) de miel
- 4 cucharaditas de especias para té chai (puedes comprarlas ya mezcladas o probar la receta que encontrarás a continuación)
- 2,85 l (¾ gal) de jun (pág. 69)
- Las semillas de 2 vainas de vainilla (opcional)

Puedes añadir las sobras de la mezcla de especias para té chai a otras bebidas o a tus elaboraciones de repostería.

Mezcla casera de especias para té chai

- 2 cucharaditas de canela en polvo
- 1 cucharadita de cardamomo molido
- 1 cucharadita de jengibre en polvo
- ½ cucharadita de nuez moscada en polvo
- ¼ cucharadita de clavos molidos
- 1 pizca de pimienta negra

Es increíble cómo una pizca de especias puede transformar por completo el sabor de una bebida. Para los amantes del té chai, constituye un añadido perfecto al jun o a la kombucha. Se trata de una de las recetas más fáciles de hacer y el resultado es una bebida con un equilibro perfecto de dulzor y sabor especiado. Puedes elaborar tu propio té chai en casa utilizando especias que probablemente tengas en la despensa, o puedes comprar un preparado específico para este tipo de té.

Se trata de una bebida fabulosa para tomar en cualquier época del año, pero es particularmente apetecible durante el otoño y el invierno, cuando especias como la canela o la nuez moscada resultan más reconfortantes. El preparado de especias para el té chai también se puede añadir a elaboraciones de repostería, al cacao caliente o a una buena taza de café durante las estaciones más frías. Si quieres ir un paso más allá, puedes extraer el contenido de un par de vainas de vainilla y añadirlo a esta receta para obtener un delicioso jun de té chai con sabor a vainilla.

Instrucciones

1. Calienta 960 ml (4 tazas) de agua en una cazuela y llévalas a ebullición.

2. Retira del fuego y añade 3 bolsitas de té; deja que infusionen durante 5-8 minutos.

3. Si vas a añadir las semillas de vainilla, realiza una incisión con un cuchillo a lo largo de cada una de las vainas con mucho cuidado. Abre las vainas y extrae las semillas que se encuentran en su interior con la punta del cuchillo. Agrégalas al té y remueve.

4. Incorpora la miel y la combinación de especias y remueve hasta que se disuelvan.

5. Espera a que la mezcla se enfríe hasta alcanzar la temperatura ambiente.

6. Combina 1,9 litros (½ galón aprox.) de jun y el té chai en un recipiente grande. Remueve bien y transfiere la mezcla a varias botellas con cierre hermético.

7. Deja reposar las botellas cerradas en un lugar oscuro a temperatura ambiente durante 2 o 3 días.

8. Refrigera el jun durante 24 horas antes de beberlo para disfrutar de un mejor resultado.

Jun de rosas

Ingredientes

- 1,2 l (5 tazas) de agua mineral o de pozo
- 200 g (1 taza) de capullos de rosa secos
- 165 g (½ taza) de miel
- 2,85 l (¾ gal) de jun (página 69)

Aparte de para regalar en San Valentín o en aniversarios, las rosas tienen otros muchos usos. El agua de rosas se utiliza en repostería con bastante frecuencia y cuando sus pétalos se infusionan en una taza de té, se obtiene un resultado de delicioso aroma con propiedades calmantes. El té de rosas presenta algunos beneficios medicinales. Es rico en antioxidantes, es un laxante natural, purifica el hígado y la vesícula biliar, es antidepresivo y contiene altos niveles de vitaminas C, D, K y E. También aporta equilibrio y regularidad al tracto digestivo y ayuda a mantener una flora intestinal saludable. Añádelo a los probióticos presentes en el jun y tendrás un potente remedio para aliviar tus molestias gástricas.

Instrucciones

1. Calienta el agua en una cazuela hasta que hierva.

2. Después añade los capullos de rosa secos y deja que infusionen durante 10 minutos.

3. Incorpora la miel y espera hasta que el té de rosas alcance la temperatura ambiente (puedes refrigerarlo para acelerar el proceso).

4. Combina el té de rosas y el jun en una jarra grande (incluidos los capullos de rosa).

5. Transfiere el jun de rosas a varias botellas con cierre hermético. Distribuye los capullos entre ellas de manera equitativa. Seguirán aportando sabor durante la fermentación secundaria.

6. Cierra bien las botellas y déjalas reposar en un lugar oscuro y cálido durante 2 o 3 días.

7. Para obtener un mejor resultado, refrigéralas durante al menos 24 horas antes de consumir el jun.

8. Cuando esté listo, cuélalo con un colador fino para separar los capullos de rosa y el SCOBY que se haya podido formar durante la segunda fermentación. ¡Que lo disfrutes!

Jun de hibisco

Ingredientes

- **1,4 l (6 tazas) de agua**
- **130 g (⅔ taza) de flores de hibisco**
- **165 g (½ taza) de miel**
- **2,85 l (¾ gal) de jun (página 69)**

El jun de hibisco rebosa color, sabor y beneficios para la salud. En infusión, el hibisco produce una bebida dulce, ácida y alimonada, muy refrescante y floral. El té de hibisco presenta un alto contenido en antioxidantes, vitamina C y es bueno para el corazón. Se cree que ayuda a perder peso porque contiene una amilasa inhibidora que evita que el azúcar pase a la sangre.

Instrucciones

1. Calienta el agua en una cazuela pequeña hasta que hierva.

2. Añade las flores de hibisco, retira la cazuela del fuego, tapa y deja que las flores infusionen durante 8 minutos.

3. Agrega la miel y remueve.

4. Espera a que el té se enfríe hasta alcanzar la temperatura ambiente.

5. Una vez que se haya enfriado, añádelo (desechando previamente las flores de hibisco) junto con el jun a un recipiente grande y remueve bien.

6. Embotella el jun de hibisco en botellas esterilizadas con cierre hermético.

7. Deja reposar las botellas bien cerradas a temperatura ambiente durante 2 o 3 días.

8. Refrigéralas al menos 24 horas antes de consumirlas para obtener un resultado más efervescente.

Jun verde

Ingredientes

- 2,85 l (¾ gal) de jun (página 69)
- 40 g (½ taza) de polvo verde de superalimento

Los polvos para bebidas verdes o superalimentos se pueden comprar en cualquier establecimiento de alimentación natural. Presentan una gran concentración de verduras y fruta, lo que garantiza una ingente cantidad de nutrientes en una cucharada. Agregar este tipo de polvos al jun o a la kombucha aporta unos beneficios adicionales para la salud, además de añadir sabor a las bebidas. No todas las bebidas verdes tienen las mismas propiedades, así que utiliza alguna que hayas probado o que te hayan recomendado. Si las compras por internet, lee los comentarios y las críticas, ya que la calidad del polvo verde condicionará el resultado de la fermentación secundaria.

Estos polvos contienen fructosa natural de la que se nutren los probióticos del jun, por lo que se pueden utilizar en la fermentación secundaria para obtener un resultado ligeramente efervescente.

Instrucciones

1. Añade el jun a una jarra grande junto con el polvo verde elegido.

2. Remueve bien hasta que el polvo se haya disuelto completamente en el agua.

3. Transfiere el jun verde a unas botellas con cierre hermético y ciérralas.

4. Deja reposar las botellas en un lugar cálido y oscuro durante 2 o 3 días.

5. Refrigera las botellas para ralentizar la fermentación secundaria. Antes de beber el jun, cuélalo con un colador fino para separarlo del SCOBY que se haya podido formar durante el proceso.

Jun de sandía y lima

Ingredientes

- 1 kg (5 tazas) de sandía, sin pepitas y troceada (unos 600 g [3 tazas] después de licuada)
- El zumo de 2 limas
- 3 cucharadas de miel
- 2,85 l (¾ gal) de jun (página 69)

Durante el verano, las aguas frescas (un tipo de bebida a base de fruta licuada muy popular en México) son un remedio delicioso contra el calor. Esta receta de jun contiene sandía licuada con lima y miel, para añadirle un sabor intenso y refrescante. Como de las sandías se obtiene gran cantidad de pulpa y son muy fáciles de conseguir en verano, esta receta resulta perfecta para elaborar grandes cantidades y disfrutarlas en los días más calurosos del estío.

Instrucciones

1. Añade la sandía troceada, el zumo de lima y la miel al vaso de una licuadora y bate hasta obtener una mezcla homogénea.

2. Combina el resultado con el jun en una jarra grande y remueve bien.

3. Transfiere el jun de sandía y lima a unas botellas con cierre hermético y ciérralas.

4. Deja reposar las botellas en un lugar cálido y oscuro durante 2 o 3 días.

5. Refrigera las botellas. Antes de beber el jun, cuélalo con un colador fino para separar el líquido del SCOBY que se haya podido formar durante la fermentación secundaria.

Jun de fresa

Ingredientes

- 600 g (3 tazas) de fresas maduras, troceadas
- 60 ml (¼ taza) de agua mineral o de pozo
- 165 g (½ taza) de miel
- 2,85 l (¾ gal) de jun (página 69)

Añadido tanto al jun como a la kombucha, la fresa es un sabor ganador, el preferido de mucha gente. Esta receta es perfecta para los no iniciados, ya que es muy fácil de elaborar y muy agradable al paladar si todavía no estás familiarizado con el sabor del jun. Las fresas y la miel combinan a la perfección, dando como resultado una maravillosa bebida de sabor suave.

Instrucciones

1. Calienta el agua y las fresas en una cazuela y llévalas a ebullición.

2. Reduce el calor, tapa la cazuela y cuece las fresas durante 10-20 minutos, hasta que hayan perdido por completo la forma. Puedes triturarlas con un tenedor para obtener una pasta homogénea.

3. Retira la cazuela del fuego, añade la miel, remueve y espera a que la mezcla se enfríe por completo.

4. Combina las fresas con el jun en una jarra grande y mezcla bien.

5. Transfiere el jun de fresa (incluida la pulpa de la fruta, que impulsará el proceso de fermentación secundaria) a unas botellas con cierre hermético. No llenes las botellas, ya que, debido a la presión que se originará durante la segunda fermentación, lo ideal es dejar un poco de espacio libre. Cierra bien las botellas.

6. Permite que reposen en un lugar oscuro durante 2 o 3 días para se produzca el segundo proceso fermentativo.

7. Refrigera el jun de fresa durante al menos 24 si quieres disfrutar de un resultado óptimo. Antes de beberlo, cuélalo con un colador fino para separar la pulpa del líquido.

Jun de albaricoque

Ingredientes

- 4 albaricoques grandes y maduros, sin el hueso y troceados
- 60 ml (¼ taza) de agua
- 85 g (¼ taza) de miel
- 2,85 l (¾ gal) de jun (página 69)

Los albaricoques son los grandes olvidados de las frutas con hueso, pero resultan maravillosos para incorporarlos a cualquiera de las recetas que aparecen en este libro, ya que aportan un sabor sutil, muy suave y dulce. La pulpa de albaricoque favorece la aparición de burbujas durante la fermentación secundaria y le añade dulzor, al tiempo que conserva el sabor natural del jun.

Instrucciones

1. Añade los albaricoques troceados y el agua a una cazuela mediana. Tapa y lleva a ebullición.

2. Reduce el fuego y deja que la mezcla hierva suavemente, tapada, hasta que los albaricoques hayan perdido la forma, durante unos 10 minutos.

3. Retira la cazuela del fuego y agrega la miel.

4. Espera a que la mezcla se enfríe por completo.

5. Combina los albaricoques y el jun en una jarra grande (o en dos).

6. Remueve bien y transfiere el resultado a varias botellas con cierre hermético.

7. Déjalas reposar 3 días a temperatura ambiente en un lugar oscuro.

8. Refrigéralas durante 24 horas o más.

9. Antes de beberlo, te recomiendo colar el jun con un colador fino para retirar la pulpa de albaricoque y las pequeñas colonias de bacterias y levaduras que se hayan podido formar.

Jun de ruibarbo

Ingredientes

- 1 penca de ruibarbo (unos 200 g [1 taza] troceado)
- 240 ml (1 taza) de agua
- 110 g (⅓ taza) de miel
- 2,85 l (¾ gal) de jun (página 69)

Quizá una de las bebidas más distintivas de este libro, el jun de ruibarbo posee un sabor único maravilloso y es muy divertido de hacer. Las pencas de ruibarbo pueden resultar intimidantes para aquellos que nunca las han cocinado, pero lo cierto es que este ingrediente aporta un sabor dulce, ácido y con un cierto grado de picante que supone una gran alternativa a los sabores de las frutas más populares. El ruibarbo contiene grandes cantidades de vitamina C y vitamina K, antioxidantes, luteína y calcio, por lo que resulta muy beneficioso para el sistema inmunitario.

Instrucciones

1. Añade el ruibarbo troceado y el agua a una cazuela. Tápala y caliéntala a fuego medio.

2. Lleva a ebullición, después reduce el fuego y deja que hierva suavemente (con la tapa) hasta que el ruibarbo esté tierno y haya perdido la forma.

3. Incorpora la miel y remueve para que se disuelva.

4. Retira la cazuela del fuego y deja que la mezcla se enfríe por completo. Para acelerar el proceso, transfiérela a un recipiente y refrigérala en la nevera.

5. Combina el ruibarbo con el jun en una jarra grande y remueve bien.

6. Vierte el jun de ruibarbo en las botellas de cristal con cierre hermético. Distribuye la pulpa de ruibarbo entre ellas de manera equitativa y ciérralas.

7. Déjalas reposar en un lugar cálido y oscuro durante 2 o 3 días.

8. Refrigera el jun durante 24 horas para ralentizar el proceso de fermentación.

9. Antes de beberlo, cuélalo con un colador fino para separar la pulpa del ruibarbo y retirar el nuevo SCOBY que se haya formado.

Limonada
lactofermentada

Sobre la limonada lactofermentada

El término *lactofermentado* se puede aplicar a muchas clases de bebidas y alimentos fermentados, como el chucrut, los encurtidos o la cerveza de jengibre. La limonada lactofermentada es una limonada probiótica que se fermenta con agua, zumo de limón natural, azúcar y suero de leche (la sustancia acuosa que se forma en la superficie del yogur), del que obtiene sus propiedades probióticas. Cuando se combina con el zumo de limón y el agua azucarada, el suero de leche continúa fermentando los probióticos, favoreciendo su multiplicación.

A esta bebida refrescante se le pueden añadir distintos sabores para poder disfrutar de ella en cualquier época del año, pero resulta ideal en verano. El suero de leche le proporciona un sabor cremoso, muy parecido al del merengue de limón; es, con diferencia, la limonada más increíble que vas a probar en tu vida. Se considera más saludable que la limonada normal, porque los probióticos del suero de leche consumen parte del azúcar, dando lugar a una bebida dulce pero con un contenido en azúcar inferior al que tenía al comienzo del proceso.

Esta es una de las bebidas probióticas más sencillas de elaborar, que además requiere muy poca inversión de tiempo. También resulta muy rentable y se puede hacer en grandes cantidades para que la disfrutes junto a tu familia y tus amigos.

Limonada probiótica y fermentación secundaria... o no

La limonada lactofermentada es la única bebida probiótica a base de agua que no someto a una fermentación secundaria porque su perfil efervescente y de sabor no parece modificarse después de un segundo proceso fermentativo. Pero si a ti te apetece probar, no seré yo quien te lo impida. Puedes escoger cualquiera de las recetas de esta sección y llevar a cabo el paso extra de dejar reposar la limonada lactofermentada a temperatura ambiente durante un par de días para ver qué ocurre tras esa segunda fermentación.

Un consejo sobre los endulzantes

La limonada lactofermentada sabe mejor cuando la endulzas con fruta o azúcar de caña. Aquellos que estén tratando de no consumir azúcar de caña pueden sustituirlo por sirope de agave o de arce. Parte del azúcar de caña utilizado es metabolizado en el proceso, lo que, a pesar de que el nivel glucémico haya descendido, no le resta dulzor a la bebida. Cualquier fruta o hierba aromática combina muy bien con esta limonada, así que no te cortes a la hora de experimentar con distintos sabores.

Limonada lactofermentada

Ingredientes

- **150 g (¾ taza) de azúcar**
- **3,78 l (1 gal) de agua**
- **360 ml (1 ½ tazas) de zumo de limón recién exprimido (10–14 limones)**
- **240 ml (1 taza) de suero de leche (derivado de 907 g [32 oz] de yogur entero)★**

★ Puedes obtener el suero de leche del yogur desnatado, pero es más sencillo hacerlo del yogur entero.

Instrucciones

1. Lo más práctico es extraer el suero de leche del yogur. Para ello, dobla una pieza de tela de muselina por la mitad y colócala sobre un cuenco. Vierte 907 g (32 oz) de yogur entero (comercial o casero) sobre la tela de muselina. Junta las esquinas de la tela para hacer un hatillo, encerrando todo el yogur en su interior. Asegura el hatillo con una goma elástica. Una vez hecho esto, con ayuda de una o dos gomas más, cuélgalo en un armario o una estantería y coloca el cuenco debajo, para que, con ayuda de la gravedad, el suero de leche caiga dentro del cuenco. Para obtener 240 ml (1 taza) de suero de leche no deberías necesitar más de 20-30 minutos, pero si transcurrido ese tiempo todavía no has conseguido la cantidad suficiente, espera un poco más. Una vez que hayas obtenido todo el suero de leche que necesitas, podrás utilizarlo para elaborar la limonada lactofermentada. Además, ¿lo adivinas? ¡Lo que ha quedado dentro de la tela de muselina es un delicioso yogur griego! Solo tienes que guardarlo en un recipiente hermético y disfrutarlo cuando te apetezca. Ahora combina en una garrafa o un tarro de unos 4 litros el suero de leche, el zumo de limón y el azúcar. Añade el agua y remueve bien para que se disuelva el azúcar. Como los probióticos presentes en el suero de leche se nutren de él, tendrás que ajustar la cantidad a tu gusto. Si te apetece disfrutar de una bebida más dulce, en lugar de 150 g (¾ taza) de azúcar puedes añadir 200 g (1 taza).

2. Cierra la garrafa o el tarro y deja que repose a temperatura ambiente durante 2 días en un armario, estantería o alacena.

3. Una vez que la limonada lactofermentada esté lista, puedes refrigerarla y consumirla fría o añadirle más ingredientes para aportarle sabor. Para ello te sugiero que utilices las recetas de esta sección.

4. La limonada, envasada en botellas con cierre hermético, se conserva bien en la nevera hasta dos semanas.

Limonada de frambuesa

Ingredientes

- 600 g (2 pt) de frambuesas
- El zumo de 2 limones Meyer
- 120 ml (½ taza) de agua
- 3 cucharadas de azúcar o néctar de agave
- 1,9 l (8 tazas) de limonada lactofermentada (página 91)

Si te pareces un poco a mí, seguro que también te encantaba beber limonada de frambuesa cuando, siendo niño, salías a cenar con tus padres. ¡Puede que todavía te guste! Debido a que en mi casa nunca se hacía limonada, yo siempre pedía que me rellenaran el vaso una y otra vez mientras me comía una hamburguesa con patatas. Ahora ya no consumo ese tipo de bebidas azucaradas, de color y sabor artificial, que tanto me gustaban, sino que las elaboro en casa. ¡Saben mucho mejor!

Esta bebida es más natural que cualquiera de las que puedas comprar y, además, está repleta de probióticos. Las frambuesas aumentan en gran medida su contenido en antioxidantes, lo que la convierte en un refresco muy saludable que también gustará mucho a los niños.

Instrucciones

1. Añade las frambuesas, el zumo de limón y el agua a una cazuela. Tapa y lleva a ebullición.

2. Reduce el fuego y deja que la mezcla burbujee suavemente hasta que las frambuesas pierdan la forma y liberen su jugo, durante 5-8 minutos. Tritura las frambuesas con un tenedor.

3. Incorpora el azúcar y remueve hasta que se disuelva.

4. Retira la cazuela del fuego y deja que el contenido se enfríe por completo.

5. Con un colador fino de metal, cuela la mezcla para separar las semillas de las frambuesas. Transfiere el líquido a un tarro, a una jarra o a una botella grande. Presiona la pulpa de la fruta con un tenedor en el colador para obtener todo el zumo que sea posible.

6. Desecha la pulpa de frambuesas.

7. Añade la limonada lactofermentada al recipiente y remueve bien.

8. Puedes servir la limonada de frambuesas de inmediato o conservarla en un par de botellas dentro de la nevera (bébete lo que no quepa en ellas).

Limonada lactofermentada de salvia

Ingredientes

- 240 ml (1 taza) de agua
- 10 hojas de salvia, picadas
- El zumo de 1 limón
- 2 cucharadas de azúcar o néctar de agave
- 960 ml (4 tazas) de limonada lactofermentada (página 91)

Lo más probable es que nunca hayas tomado una bebida con salvia y, mucho menos, una limonada. Antes de que pierdas el interés, por favor, sigue leyendo. La salvia no solo va fenomenal con recetas saladas, sino que aporta un sabor maravilloso a muchas bebidas, un sabor sutil y terroso que combina a la perfección con la viveza dulce de la limonada y da como resultado una bebida muy refrescante. En este libro encontrarás algunas bebidas con un regusto peculiar, pero el sabor de las que incluyen hierbas aromáticas, como esta limonada de salvia, es todo lo contrario, a pesar de lo que se pueda pensar en un principio.

La salvia contiene vitamina K y es un antiinflamatorio y antioxidante natural. Existen estudios que han demostrado que un consumo regular de salvia mejora la memoria.

Instrucciones

1. Añade el agua y las hojas de salvia a una cazuela y llévalas a ebullición.

2. Después apaga el fuego, incorpora el azúcar y remueve hasta que se disuelva. Deja a temperatura ambiente durante al menos 10 minutos para que la mezcla se impregne del sabor de la salvia.

3. Transfiere el líquido a un recipiente y refrigera hasta que se haya enfriado por completo.

4. Una vez frío, cuélalo para separarlo de las hojas de salvia y a continuación, viértelo en una jarra.

5. Añade la limonada lactofermentada y remueve bien.

6. Puedes disfrutar de esta bebida en el acto o envasarla en botellas con cierre hermético, en las que se conservará hasta 1 semana.

Limonada de fresa y ruibarbo

Ingredientes

- 300 g (1 ½ tazas) de ruibarbo natural, troceado
- 240 ml (1 taza) de agua
- 300 g (1 ½ tazas) de fresas, troceadas
- El zumo de 1 limón
- 50 g (¼ taza) de azúcar
- 1,9 l (8 tazas) de limonada lactofermentada (página 91)

Si la limonada de frambuesa te parece una bebida fabulosa, la limonada de fresa y ruibarbo lo es todavía más. Esta combinación de sabores gusta a mucha gente en sus diferentes formas, desde productos de repostería hasta cócteles. El ruibarbo es rico en calcio, antioxidantes, luteína (que es muy buena para la vista) y vitamina K. Hazte con unos cuantos tallos de ruibarbo para elaborar esta limonada; también puedes probar la receta de Jun de ruibarbo.

Instrucciones

1. Añade el agua y el ruibarbo a una cazuela, tápala y lleva a ebullición.

2. Reduce la temperatura y hierve a fuego lento; deja que la mezcla burbujee y se cocine durante aproximadamente 15 minutos.

3. Incorpora las fresas, el zumo de limón y el azúcar y cocina durante 3 minutos más.

4. Espera a que la mezcla se enfríe antes de transferirla a un cuenco o a un vaso grande para refrigerarla por completo en la nevera.

5. Combina la mezcla de ruibarbo y fresa con la limonada lactofermentada en el vaso de la batidora.

6. Bate hasta conseguir una mezcla homogénea y sirve bien fría.

Limonada lactofermentada de lavanda

Ingredientes

- 240 ml (1 taza) de agua
- 1 ½ cucharadas de flores de lavanda
- 50 g (¼ taza) de azúcar
- El zumo de 1 limón
- 1,9 l (8 tazas) de limonada lactofermentada (página 91)

Esta es la limonada más relajante que puedas tomar. La lavanda ha sido utilizada durante miles de años por diferentes culturas de todo el mundo debido a su interminable lista de propiedades beneficiosas. Las flores de lavanda contienen polifenoles, que ayudan a combatir las bacterias dañinas y reducen la hinchazón. En este aspecto, la lavanda y los probióticos hacen milagros para aliviar el dolor de estómago y facilitar los procesos digestivos. La lavanda también es un remedio contra la irritación y la sequedad de la piel y puede acelerar la curación de heridas abiertas. La infusión de lavanda es una bebida floral y deliciosa con propiedades calmantes, tanto para la mente como para el cuerpo. Y además, con ella se obtiene una limonada maravillosa.

Instrucciones

1. Añade el agua y las flores de lavanda a una cazuela y lleva a ebullición. Apaga el fuego, agrega el azúcar y el zumo de limón y remueve hasta que se disuelva el azúcar.

2. Deja que la mezcla repose durante al menos 20 minutos para que la lavanda libere todo su sabor.

3. Transfiere la mezcla a un recipiente y refrigera hasta que esté completamente fría.

4. Cuélala con un colador; trasvasa el líquido a una jarra y desecha las flores de lavanda.

5. Combina la limonada lactofermentada con la infusión de lavanda y remueve bien.

6. Bate hasta conseguir una mezcla homogénea y sírvela bien fría.

Limonada de moras

Ingredientes

- 400 g (2 tazas) de moras
- El zumo de 2 limones
- 120 ml (½ taza de agua)
- 3 cucharadas de azúcar
- 1,9 l (8 tazas) de limonada lactofermentada (página 91)

Guardo unos recuerdos maravillosos de cuando, siendo niña, salía a recoger moras con mi familia. El lugar en el que crecí estaba rodeado de vegetación y durante la temporada de moras llenábamos cuencos gigantescos con ellas, recolectadas directamente de la zarza. Por supuesto, mis manos acababan destrozadas por las espinas del arbusto, pero merecía la pena con tal de poder disfrutar del placer de comerlas y reservar algunas para elaborar mermelada.

Las moras están repletas de antioxidantes y tienen un sabor distintivo y delicioso. Resultan ideales para aderezar cualquiera de las recetas de este libro. En el caso de la limonada lactofermentada, la transforman en una bebida elegante y exquisita que todo el mundo puede disfrutar.

Instrucciones

1. Añade las moras, el zumo de limón y el agua a una cazuela. Tapa y lleva a ebullición.

2. Reduce el fuego y deja que la mezcla burbujee suavemente hasta que las moras pierdan la forma y liberen sus jugos, durante 5-8 minutos. Tritura las moras con un tenedor.

3. Añade el azúcar y remueve para que se disuelva.

4. Retira la cazuela del fuego y espera a que la mezcla se enfríe por completo.

5. Después, cuélala con un colador fino de metal para separar las semillas de las moras y transfiere el líquido a una jarra, tarro o botella grande. Presiona la pulpa de la fruta para extraer todo el zumo.

6. Desecha la pulpa.

7. Añade la limonada lactofermentada a la jarra y remueve bien.

8. Puedes servir esta limonada de moras en el acto o conservarla en dos botellas dentro de la nevera (bébete lo que no quepa en ellas).

Granizado de limonada de albaricoque

Ingredientes

- 2 albaricoques sin el hueso, troceados y congelados
- 1 plátano congelado
- 120 ml (½ taza) de limonada lactofermentada (página 91)
- 120 ml (½ taza) de leche de almendras con sabor a vainilla

¿Quién dice que el yogur ha de ser el componente estrella de los smoothies? Utilizar otras bebidas de este libro para elaborar granizados y smoothies es una idea brillante y divertida. La limonada lactofermentada resulta perfecta para combinarla con cualquier fruta u otro tipo de ingredientes, porque presenta un gran equilibrio de dulzura y acidez. Elaborar esta receta, sobre todo en primavera y verano, con fruta de temporada es garantía de salud y sabor.

La limonada y los albaricoques combinan de maravilla, aunque yo no he tenido mucho éxito a la hora de preparar limonada con albaricoques, porque su pulpa es demasiado carnosa. Para obtener una cantidad decente de zumo se necesita un gran número de albaricoques y a mí no me gusta desperdiciar tanta pulpa. Así que a continuación os presento el término medio ideal. Si quieres conseguir un granizado fabuloso, lo único que tienes que hacer es trocear los albaricoques, congelarlos y después batirlos junto con la limonada, un plátano y leche de almendras. ¡El resultado es único y delicioso!

Instrucciones

Añade todos los ingredientes al vaso de una batidora y bate hasta conseguir un granizado suave.

Bebida de merengue de limón

Ingredientes

- 2 plátanos congelados
- 240 ml (1 taza) de limonada lactofermentada (página 91)
- El zumo de medio limón
- 2 cucharadas de leche de coco

Como ya dije al comienzo de esta sección, gracias al suero de leche, la limonada lactofermentada tiene un sabor muy parecido al del pastel de merengue de limón. Es dulce, cremosa, ácida y suave en la boca, como un postre. Estas características me sirvieron de inspiración para elaborar un smoothie con limonada lactofermentada que recuerda a este tipo de tartas. Por absurdo que parezca, esta sencilla bebida es una de las favoritas de mi familia.

Instrucciones

Añade todos los ingredientes al vaso de la batidora y bate hasta conseguir una mezcla homogénea y sedosa.

Arnold Palmer probiótico

Ingredientes

- Bolsitas de té negro
- Azúcar (opcional)
- Limonada lactofermentada (página 91)

Cuando rememoro los calurosos días de verano, me viene a la memoria el té helado con limonada. Y después, pienso en un Arnold Palmer*, la bebida veraniega por excelencia. Se trata de una sencilla combinación, increíblemente refrescante, de té helado con limonada. Para disfrutar de un Arnold Palmer probiótico, haz una infusión de tu té favorito (yo te recomiendo el té negro), deja que se enfríe en la nevera y después mézclalo con la limonada lactofermentada.

Instrucciones

1. Lleva a ebullición la cantidad de agua que desees. Una vez que el agua haya roto a hervir, apaga el fuego y añádele las bolsitas de té, una por cada 240 ml (1 taza) de agua. Deja que infusionen durante 5-8 minutos. Si prefieres el té dulce, agrégale azúcar mientras esté caliente y remueve para que se disuelva.

2. Espera a que el té se temple antes de transferirlo a una jarra y refrigerarlo hasta que esté completamente frío.

3. Echa unos cubitos de hielo en un vaso y llénalo hasta la mitad con limonada lactofermentada. Llena la otra mitad con tu té helado preferido.

★ Se trata de una bebida a base de té helado y limonada, bautizada así en honor al golfista estadounidense Arnold Palmer. (N. de la T.)

Cerveza
de jengibre

Sobre la cerveza de jengibre

La cerveza de jengibre es una bebida con una efervescencia natural, cuyo sabor tiene notas dulces y picantes. El jengibre rallado se fermenta en agua y zumo de limón, permitiendo que las levaduras naturales del jengibre se nutran del azúcar y se multipliquen y dando lugar a una bebida probiótica. A pesar de que la cerveza de jengibre es lo suficientemente dulce, picante y deliciosa por sí misma, también es famosa por su uso en cócteles, particularmente en el cóctel Dark & Stormy, un mezcla de cerveza de jengibre y ron acompañada de una rodaja de lima.

A pesar de que mucha gente utiliza los términos *cerveza de jengibre* y *ale de jengibre* de manera indistinta, existe una diferencia entre ambas bebidas. La cerveza se fermenta durante dos o tres semanas gracias a las bacterias del jengibre, mientras que el ale es un refresco con sabores artificiales. Aunque a veces este tipo de bebidas se elaboran con jengibre natural, la mayoría se compone de agua carbonatada con azúcar y sabor artificial, y no está sometida al mismo proceso de fermentación que la cerveza de jengibre.

Los beneficios de la cerveza de jengibre para la salud

El jengibre presenta una gran cantidad de propiedades beneficiosas para la salud y se utiliza habitualmente para aliviar el dolor de estómago, las náuseas o la diarrea. Esta raíz de gran sabor ayuda a prevenir y luchar contra diferentes tipos de cáncer, como el de mama, el de colon, de ovarios, próstata o el cáncer de pulmón. También favorece la eliminación de sustancias químicas por parte del organismo, alivia los dolores de la menstruación, etc.

La cerveza de jengibre y la fermentación secundaria

Una vez concluido el primer proceso de fermentación, puedes añadir azúcar u otros ingredientes que aportarán sabor a la cerveza de jengibre (utilizando las recetas de esta sección) y someterla a una fermentación secundaria.

Añadir sabor a la cerveza de jengibre

Esta cerveza tal vez sea la bebida a la que más sencillo resulte añadir sabores, ya que casi todos los tipos de fruta o hierbas aromáticas combinan muy bien con el jengibre. El hecho de que el jengibre sea dulce y picante lo convierte en un ingrediente maravilloso para fusionarlo con más sabores dulces, agrios, ácidos o cremosos. De esta manera, uno saborea primero los ingredientes añadidos, mientras que el jengibre hace su aparición al final. Con la cerveza de jengibre resulta fácil ponerse creativo en materia de combinación de frutas y hierbas aromáticas, ya que sus características garantizan un buen resultado.

Tiempo de conservación de la cerveza de jengibre

Envasada en botellas con cierre hermético, la cerveza de jengibre natural puede conservarse hasta un mes en la nevera, pero si quieres disfrutar de un resultado óptimo lo mejor es consumirla durante las dos primeras semanas después de su fermentación. Si se le añaden otros ingredientes, como alguna variedad de fruta, lo ideal es consumirla en la semana posterior. A pesar de que la cerveza de jengibre se puede conservar durante periodos más largos, con los probióticos siempre recomiendo ir sobre seguro.

Como ocurre con todas las bebidas a base de agua que aparecen en este libro, es fundamental utilizar agua mineral o agua de pozo para su elaboración. No confíes en el agua del grifo, porque lo más probable es que contenga cloro, que no es bueno para la fermentación.

Un consejo sobre las recetas de esta sección

En el caso de las bebidas probióticas, siempre hay que tener cuidado a la hora de abrir una botella tras la fermentación secundaria debido a la presión. Nunca apuntes hacia tu cara (o la de cualquier otra persona) cuando las vayas a abrir y jamás permitas que un niño lo haga.

Cerveza de jengibre

Ingredientes para el cultivo de jengibre

- 3 cucharadas de jengibre fresco, pelado y rallado, por partes
- 480 ml (2 tazas) de agua

- 3 cucharadas de azúcar moreno orgánico, por partes

También necesitas

1. Una jarra o tarro de cristal de 1 l (1 qt aprox.)
2. Una goma elástica

3. Una pieza de tela de muselina
4. Una jarra de 3,78 l (1 gal)

El proceso de fermentación de la cerveza de jengibre consta de tres pasos. Se comienza con la elaboración del cultivo del jengibre, después se fermenta en agua, azúcar y zumo de limón y, por último, se embotella la bebida resultante, dejándola reposar para someterla a una fermentación secundaria. Quizá puedas conseguir que alguien que haya elaborado cerveza de jengibre te dé un cultivo, pero lo más probable es que tengas que crear el tuyo propio, algo muy sencillo (solo requiere tiempo y atención a los detalles).

Cómo conseguir un cultivo de jengibre (líquido iniciador)

1. Para conseguir el cultivo de jengibre, añade 1 cucharadita de jengibre pelado y rallado y 1 cucharadita de azúcar a un tarro con capacidad para 1 litro (es el tamaño ideal).

2. Agrega 480 ml (2 tazas) de agua mineral (sin cloro) y remueve.

3. Cubre el tarro con la tela de muselina y asegúrala con la goma elástica.

4. Deja que repose en un lugar oscuro durante 24 horas.

5. Una vez al día, durante una semana completa, añade al recipiente 1 cucharadita de azúcar y 1 cucharadita de jengibre fresco rallado y remueve bien. Esto garantiza la alimentación del cultivo y su crecimiento, como ocurre con la masa madre. Remueve un par de veces al día. Durante el proceso se producirán levaduras naturales y una sustancia blanca aparecerá en el fondo del recipiente. Ahí es donde se originan los probióticos.

6. Una vez transcurridos de 3 a 5 días (quizá más si la temperatura de tu casa es muy baja), comenzarán a formarse burbujas al remover el líquido. Cuando puedas escuchar las burbujas sin tocar el tarro, quiere decir que el cultivo está listo. Todo el proceso tardará entre 7 y 10 días en una casa cálida, mientras que si la casa es fría necesitará más tiempo. Si después de 7 días el cultivo no burbujea, continúa añadiendo una cucharadita de azúcar y otra de jengibre al día hasta que aparezcan las burbujas.

7. Para fermentar la cerveza de jengibre se utiliza el líquido del cultivo (a continuación encontrarás las instrucciones). Sigue añadiendo agua, jengibre y azúcar al cultivo a medida que vayas usándolo para elaborar cerveza de jengibre. Si en algún momento observaras moho flotando en la superficie del líquido, deshazte de ese cultivo y elabora uno nuevo.

Ingredientes para la cerveza de jengibre

- 240 ml (1 taza) de líquido de cultivo de jengibre (ver arriba)
- 250 g (1 ¼ tazas) de azúcar (recomiendo azúcar moreno de caña, orgánico)
- 3,78 l (1 gal) de agua mineral o de pozo
- 120 ml (½ taza) de zumo de limón recién exprimido
- 65 g (⅓ taza) de jengibre fresco rallado

Cómo hacer líquido iniciador o cultivo de jengibre

1. Añade agua mineral o agua de pozo (no utilices agua del grifo a no ser que el suministro provenga de un pozo) a una jarra de unos 4 litros (1 galón aproximadamente). No la llenes por completo.

2. Agrega el azúcar, el zumo de limón, el jengibre rallado y el líquido del cultivo de jengibre. Remueve bien.

3. Cubre la jarra con una pieza de tela de muselina (o un paño de cocina) y asegúrala con una goma elástica. Deja que el recipiente repose en un lugar oscuro a temperatura ambiente de 8 a 10 días. El mío tardó ocho días, incluso en una casa con una temperatura por encima de los 26 °C (80 °F).

4. Prueba la mezcla periódicamente para ver si necesita más azúcar. Los probióticos naturales consumirán el azúcar, por lo que si la bebida pierde su dulzor, tendrás que añadir una cantidad adicional (no más de 2 cucharadas cada vez), pero ten cuidado de no saturar los probióticos, ya que pueden morir si se les suministra azúcar en exceso.

5. Remueve una o dos veces al día. Verás que se forma una sustancia blanca en el fondo de la jarra, alrededor del jengibre. Es un buen síntoma, pues se trata de las levaduras naturales del jengibre. También se formarán burbujas grandes en la superficie del líquido. La cerveza de jengibre estará lista cuando al removerla aparezcan burbujas (igual que ocurre cuando estás elaborando el cultivo iniciador).

6. Una vez que la cerveza de jengibre esté lista, pruébala. Si su sabor no es dulce, añádele azúcar y jengibre, porque cuando la embotelles se producirá una segunda fermentación en la que los probióticos seguirán necesitando consumir azúcar. (Nota: las recetas que aparecen en esta sección te aconsejan sobre la cantidad de azúcar que hay que añadir antes del embotellado).

7. En este punto, tus opciones son dos: embotellar la cerveza de jengibre natural o añadirle sabor antes de hacerlo. Si optas por añadir sabor, lee las recetas de esta sección para obtener ideas. Vierte el líquido (incluida la pulpa de jengibre) en unas botellas con cierre hermético y déjalas reposar en un lugar oscuro de 2 a 4 días. Este proceso hará que la cerveza de jengibre adquiera un carácter muy efervescente. Cuanto más cálido sea el lugar en el que reposa, con más rapidez aparecerán burbujas en la bebida, por lo que te aconsejo abrir las botellas cada 1 o 2 días para comprobar su gasificación y el nivel de azúcares. Evita que las botellas reposen durante mucho tiempo porque acabarían explotando.

8. Refrigera las botellas en la nevera para ralentizar la fermentación. La cerveza seguirá el proceso, por lo que, tendrías que consumirla en los días inmediatamente posteriores a haberse completado la fermentación secundaria. Si la dejas enfriar más de 1 semana, presentará un sabor más seco, menos dulce.

9. Ya puedes elaborar otra tanda de cerveza de jengibre utilizando el mismo cultivo que has estado alimentando. Dicho cultivo ha madurado, así que ahora necesitará menos tiempo para fermentar.

RESOLUCIÓN DE PROBLEMAS

Si te parece que el cultivo o la cerveza de jengibre tardan demasiado en avivarse (burbujear), no te preocupes: probablemente se deba a la temperatura de tu casa. Como ocurre con muchas bebidas probióticas, parece que a la cerveza de jengibre no le pasa nada durante un tiempo hasta que, de repente, comienza a activarse.

Al concluir la fermentación secundaria, si la cerveza resulta demasiado «seca» (no dulce o burbujeante), seguramente sea porque las levaduras han consumido todo el azúcar presente en la botella, dejando muy poco para tu disfrute. A algunas personas les gusta así, pero si tú la prefieres dulce, lo único que tienes que hacer es añadir más azúcar (azúcar de caña, fruta o zumo) antes de embotellarla.

¿Has abierto una botella después de 3 días de fermentación secundaria y te has encontrado con una bebida demasiado dulce y sin burbujas? Eso significa que la cerveza aún presenta una cantidad de azúcar residual que tendrán que consumir los probióticos. No pasa nada. Simplemente, deja reposar las botellas que no hayas abierto (si te quedan) a temperatura ambiente para que continúe el proceso de fermentación secundaria. Debido a la presencia excesiva de azúcar en la bebida antes de embotellarla, necesitarás 1 o 2 días más para que los probióticos la consuman y aparezcan las burbujas. Para evitar una efervescencia débil, tienes que asegurarte de que haya burbujas ascendiendo desde el fondo a la superficie del líquido antes de embotellarlo para la fermentación secundaria, ya que eso es señal de actividad probiótica. Pero si, a pesar de todo, la bebida no acaba carbonatando, sí tendrá los beneficios para la salud que ofrecen los probióticos.

En el caso de que observes moho en la superficie de la cerveza de jengibre mientras está fermentando, tendrás que desechar toda la tanda, incluso si se trata de una partícula diminuta. Volver a elaborar cerveza de jengibre es fácil (porque ya dispones del cultivo iniciador) y no merece la pena sacrificar la calidad y la salud, a pesar de lo frustrante que resulta tener que tirar todo el trabajo a la basura.

Cerveza de jengibre y naranja sanguina

Ingredientes

- **El zumo de tres naranjas sanguinas maduras**
- **2 cucharadas de azúcar**
- **960 ml (4 tazas) de cerveza de jengibre (página 111)**

Las naranjas sanguinas deben su nombre a su pulpa de color rojo oscuro, resultado de la presencia de antocianinas, un tipo de antioxidantes que también tienen los arándanos azules. Las antocianinas dotan a la pulpa de su tonalidad roja únicamente en el caso de que las naranjas hayan estado expuestas al frío durante la fase de maduración o después de la recogida. Dichas antocianinas no se encuentran en ningún otro cítrico. Las naranjas sanguinas están repletas de vitamina C, vitamina A y ácido fólico.

Las naranjas sanguinas tienen un sabor distintivo muy diferente al de las naranjas Navel normales; es más intenso y agridulce, lo que las convierte en una opción ideal —aromática y sabrosa— para añadir a las bebidas probióticas.

Instrucciones

1. Combina el zumo de naranja sanguina, el azúcar y la cerveza de jengibre en una jarra. Remueve bien para que se disuelva el azúcar.

2. Vierte la mezcla en botellas con cierre hermético y ciérralas.

3. Deja que las botellas reposen a temperatura ambiente durante 2 días para que se produzca la fermentación secundaria.

4. Refrigéralas en la nevera para ralentizar el proceso.

Cerveza de jengibre con frambuesas y albahaca

Ingredientes

- 400 g (2 tazas) de frambuesas frescas
- 10-15 hojas de albahaca fresca, picadas
- 120 ml (½ taza) de agua mineral o de pozo
- 2 cucharadas de azúcar
- 1,9 l (8 tazas) de cerveza de jengibre (página 111)

La cerveza de jengibre con frambuesas y albahaca es una delicia. Todos los sabores combinan de maravilla, lo que la convierte en una bebida sofisticada, refrescante y con un toque picante. Si nunca has probado una bebida elaborada con hierbas aromáticas frescas, no te asustes. El resultado no es salado como un plato de pasta; en este caso, la albahaca aporta un sabor complejo, terroso, que equilibra la acidez y el picante presentes en la bebida. Las frambuesas combinan muy bien con casi cualquier hierba aromática, por lo que puedes probar esta receta con salvia, menta e incluso romero.

Instrucciones

1. Calienta las frambuesas, la albahaca y el agua en una cazuela a fuego medio y tapa la cazuela.

2. Lleva a ebullición. Después reduce el fuego y deja que hierva durante 3-5 minutos con la tapa puesta, hasta que las frambuesas comiencen a perder la forma. Tritura las frambuesas con un tenedor.

3. Espera a que la mezcla se temple hasta alcanzar la temperatura ambiente. Para acelerar el proceso, viértela en un recipiente y refrigérala en la nevera.

4. Combina la mezcla de frambuesas y albahaca con la cerveza de jengibre en una jarra grande y remueve bien.

5. Vierte la cerveza de jengibre con frambuesas y albahaca en varias botellas herméticas (incluidas la pulpa y la albahaca). Si queda algo de pulpa en el fondo de la jarra, añádela a las botellas con una cuchara.

6. Cierra las botellas y déjalas reposar a temperatura ambiente durante 2 o 3 días para que se produzca la fermentación secundaria.

7. Refrigera las botellas en la nevera para ralentizar la fermentación. Para un mejor resultado, espera 24 horas antes de tomar la cerveza, ya que continuará fermentando y se producirán más burbujas.

8. Antes de beberla, cuélala con un colador fino para separar la pulpa de frambuesas y la albahaca (deséchalas). ¡Disfruta de esta deliciosa bebida!

Cerveza de jengibre con sabor a coco y albahaca

Ingredientes

- **10 hojas de albahaca fresca, picada**
- **1 cucharada de néctar de agave (opcional)**
- **180 ml (¾ taza) de leche de coco (mejor entera)★**
- **1,08 l (4 ½ tazas) de cerveza de jengibre (pág. 111)**

★ Si la temperatura de tu casa es baja, la grasa del coco y el agua probablemente se separen en la lata, por lo que, si esto ocurre, remueve bien antes de utilizarla.

La leche de coco, la albahaca y el jengibre constituyen una combinación sin fisuras. Los tres ingredientes juntos producen un sabor cremoso, dulce y picante. La leche de coco aplaca el picor y la efervescencia del jengibre y la albahaca le aporta un toque único. Esta bebida no necesita una segunda fermentación. Mezcla los ingredientes con la cerveza de jengibre (que solo ha fermentado una vez) e inmediatamente obtienes una bebida deliciosa que combina a la perfección con casi cualquier tipo de comida étnica, en especial con el curri.

Instrucciones

1. Calienta la leche de coco, el néctar de agave y la albahaca a fuego medio y lleva a una ebullición suave.

2. Apaga el fuego y deja que la mezcla repose entre 5 y 10 minutos para que la albahaca libere todo su sabor.

3. Vierte la mezcla en un vaso u otro recipiente y refrigérala por completo en la nevera.

4. Una vez fría, cuélala con un colador fino para separar la albahaca de la leche de coco. Desecha la albahaca. Combina la mezcla de leche de coco con la cerveza de jengibre.

5. Sirve la cerveza de jengibre con sabor a coco y albahaca en vasos. La leche de coco se quedará en la superficie y formará un poco de espuma. Puedes tomarla así o retirar la espuma con una cuchara.

6. ¡Sirve bien fría y disfruta!

Cerveza de jengibre con pomelo y romero

Ingredientes

- 960 ml (4 tazas) de cerveza de jengibre (página 111)
- 240 ml (1 taza) de zumo de pomelo recién exprimido (unos 2 pomelos)
- 2-3 cucharadas de néctar de agave (opcional)
- 2 cucharadas de hojas de romero frescas

Infusionar hierbas aromáticas con zumo de fruta produce sabores originales y divertidos. En este caso, el toque terroso del romero suaviza la acidez del zumo de pomelo, dando lugar a una bebida compleja y muy refrescante. Esta receta se puede utilizar como base para cócteles, como el cóctel Paloma, elaborado a base de tequila y refresco o zumo de pomelo. Si en lugar del zumo le añades esta receta, obtendrás una variante alegre y diferente.

Instrucciones

1. Calienta el zumo de pomelo con el romero y el néctar de agave en una cazuela a fuego lento y lleva a punto de ebullición (sin que llegue a hervir).

2. Después, retira la cazuela del fuego y espera a que la mezcla se temple.

3. Vierte el zumo (con las hojas de romero) en un recipiente y refrigera hasta que se haya enfriado por completo.

4. Combina la mezcla con la cerveza de jengibre, incluidas las hojas de romero, que aportarán más sabor al resultado.

5. Puedes consumir la bebida de inmediato o embotellarla para someterla a una fermentación secundaria. Para ello, deja que las botellas reposen a temperatura ambiente de 2 a 4 días. Después, refrigéralas en la nevera para ralentizar la fermentación.

6. Antes de consumir la bebida, separa las hojas de romero con un colador fino. ¡Disfruta!

Cerveza de jengibre con lima

Ingredientes

- 960 ml (4 tazas) de cerveza de jengibre (página 111)
- El zumo de 12 limas de los cayos de Florida
- 2 cucharadas de néctar de agave (o cantidad al gusto)

Cuando las limas están en temporada, los entusiastas de los cócteles se regocijan. Las pequeñas limas de los cayos de Florida aportan su gran sabor a esta bebida ácida, divertida y diferente. Las limas de los cayos también quedan fabulosas en los productos de repostería, pero donde su esencia brilla es en las bebidas. A pesar de que exprimir este tipo de limas requiere tiempo y de que la cantidad de zumo que se obtiene es inferior a la de las limas normales, el esfuerzo merece la pena.

Instrucciones

1. Combina todos los ingredientes en una jarra y remueve bien.

2. Puedes disfrutar de esta bebida en el momento o embotellarla y someterla a un proceso de fermentación secundaria. Para ello, deja reposar las botellas, cerradas herméticamente, a temperatura ambiente durante 2 o 3 días. Después refrigéralas en la nevera para consumirlas frías.

Cerveza de jengibre con sabor a fresa

Ingredientes

- 400 g (2 tazas) de fresas maduras, troceadas
- 120 ml (½ taza) de agua
- 2 cucharadas de azúcar
- 1,9 l (8 tazas) de cerveza de jengibre (página 111)

Si añades fresas naturales a la cerveza de jengibre casera obtendrás una bebida dulce y fresca, perfecta para el verano. Esta receta es muy sencilla y su elaboración requiere poco tiempo, lo que la convierte en una opción ideal para hacer en grandes cantidades y dejar en reserva. A pesar de que la cerveza de jengibre con sabor a fresa es maravillosa por sí misma, también resulta perfecta para añadirla a una copa de helado. Echa un vistazo a la receta de Copa de helado de vainilla y cerveza de jengibre con sabor a fresa y verás que los probióticos también pueden convertirse en un postre fantástico.

Instrucciones

1. Calienta las fresas y el agua en una cazuela tapada a fuego medio y lleva a ebullición.

2. Una vez que las fresas comiencen a perder la forma, tritúralas con un tenedor. Añade el azúcar y remueve. La mezcla ha de tener la consistencia de una compota.

3. Espera a que se enfríe hasta alcanzar la temperatura ambiente. Para acelerar el proceso, transfiere la mezcla a un cuenco y refrigérala en la nevera.

4. Combina las fresas con la cerveza de jengibre en una jarra o en un tarro y remueve bien.

5. Embotella la cerveza de jengibre con sabor a fresa (lo más aconsejable es hacerlo en botellas con tapón de rosca).

6. Déjalas reposar a temperatura ambiente durante 2 días y después refrigéralas en la nevera.

7. Cuando vayas a abrir las botellas, ten cuidado con la presión acumulada en el interior.

8. Cuela la cerveza con un colador fino para separar los trozos de fresa (deséchalos).

9. ¡Disfruta de esta deliciosa cerveza de jengibre con sabor a fresa!

Copa de helado de vainilla y cerveza de jengibre con sabor a fresa

Ingredientes

- ½ kg (1 pt aprox.) de helado de vainilla
- 480 ml (16 fl. Oz) de cerveza de jengibre casera con sabor a fresa (página 125)

Ninguna sección sobre cerveza de jengibre estaría completa sin una copa de helado. Si nunca has probado una copa de helado a base de cerveza de jengibre, te recomiendo que lo hagas. La primera vez que la tomé fue en un restaurante de sushi en Idaho e incluía helado de té verde (uno de mis favoritos) y una cerveza de jengibre bastante intensa. La pedí porque me intrigaba su sabor y he de decir que me encantó.

Esta copa de helado contiene todos los beneficios para la salud de los probióticos presentes en la cerveza de jengibre lo que, de acuerdo con mi cálculos, significa que la culpabilidad por caer en la tentación de disfrutar de este postre se reduce bastante. Se trata de un postre suculento y cremoso con un agradable toque de jengibre que matiza su dulzor. Existe todo un mundo de combinaciones de sabores para este tipo de copas, por lo que te recomiendo que experimentes sin miedo.

Instrucciones

1. Llena unos vasos de tubo con la cantidad deseada de helado.

2. Abre con cuidado una botella de cerveza de jengibre con sabor a fresa y cuélala para separar la pulpa de fresa. Vierte la cerveza de jengibre sobre el helado.

3. ¡Disfrútala con amigos!

PARA 3-4 PERSONAS

OTRAS COMBINACIONES DE SABORES PARA ESTA RECETA

Helado de té verde y Cerveza de jengibre natural
Sorbete de mango y Cerveza de jengibre con sabor a piña

Cerveza de jengibre con sabor a piña

Ingredientes

- 480 ml (2 tazas) de zumo de piña 100 % natural
- 1,68 l (7 tazas) de cerveza de jengibre (página 111)

No dejes que la sencillez de esta receta te engañe, ya que está repleta de sabor y es muy saludable. El zumo de piña es conocido por facilitar la digestión, y el hecho de que el jengibre también ayude a aliviar las náuseas y el malestar estomacal convierte a esta bebida en una opción perfecta para aquellos que padezcan molestias gástricas.

El zumo de piña es rico en vitamina C, B_6 y tiamina. También contiene una enzima llamada *bromelina*, que favorece la buena digestión y ayuda a descomponer las proteínas de los alimentos. Gracias a todos estos factores, esta bebida resulta muy beneficiosa para el estómago, activa el sistema inmunitario y ayuda a la flora intestinal a realizar sus funciones digestivas.

Instrucciones

1. Combina el zumo de piña y la cerveza de jengibre en una jarra grande.

2. Embotéllala y cierra bien las botellas.

3. Deja reposar las botellas durante 2 o 3 días en un lugar cálido y oscuro.

4. Para disfrutar de un resultado óptimo, refrigera la cerveza durante 24 horas antes de consumirla.

Kéfir de agua
y kéfir carbonatado

Sobre el kéfir de agua

El kéfir de agua (no confundir con el kéfir de leche) se fermenta utilizando gránulos de kéfir de agua. Igual que en el caso de los gránulos del kéfir de leche, dichos gránulos no son ningún tipo de grano, sino colonias de levaduras y bacterias algo traslúcidas, con forma de ramilletes de coliflor en miniatura. Los gránulos del kéfir de agua únicamente necesitan agua y azúcar para fermentar. Aunque activar los gránulos de kéfir deshidratados (a continuación encontrarás las instrucciones) puede tardar de 2 a 3 semanas, una vez que están activos, el proceso de fermentación transcurre con relativa rapidez. Tomar esta bebida no láctea constituye una manera sobresaliente de tomar probióticos, mantenerse hidratado y desintoxicar el organismo.

Como ocurre con el resto de las bebidas que aparecen en este libro, el kéfir de agua puede someterse a una fermentación secundaria, tras la cual se obtiene una bebida efervescente: el kéfir carbonatado o con gas. Una vez completada la primera fase de fermentación, puedes poner fin al proceso y disfrutar del kéfir de agua, pero añadirle sabor y someterlo a una segunda fermentación es divertido y aporta a esta bebida burbujeante una intensidad especial.

Si no conoces a nadie que elabore kéfir de agua, necesitarás comprar gránulos de kéfir deshidratados. Puedes encontrar bastantes proveedores de confianza en internet. Para que la fermentación sea efectiva, tendrás que rehidratar y activar los gránulos de kéfir. Este proceso requiere un poco de tiempo (de 1 a 3 semanas), pero una vez activos, los gránulos se pueden utilizar repetidamente para elaborar refrescos probióticos.

Beneficios del kéfir de agua y del kéfir carbonatado para la salud

Además de su alto contenido en probióticos, tanto el kéfir de agua como el kéfir carbonatado son bebidas muy hidratantes, ideales para sustituir las bebidas deportivas a la hora de reponer electrolitos tras la práctica de ejercicio, ya que contienen enzimas y minerales. El kéfir de agua disminuye la inflamación y, por lo tanto, alivia cualquier malestar digestivo. También calma la irritación de la piel y reduce los eccemas y el acné. Además, beber kéfir de agua favorece la desintoxicación hepática.

Fermentación secundaria

Una vez que el kéfir de agua ha completado el primer proceso fermentativo, puedes consumirlo o añadirle más ingredientes para someterlo a una fermentación secundaria. Esta segunda fase convertirá el kéfir de agua en kéfir carbonatado siempre que se agregue azúcar (en forma de fruta, zumo de fruta o azúcar de caña) o pulpa de fruta, elementos que provocarán la aparición de burbujas. La fermentación secundaria tarda 2 o 3 días, tras los que se obtiene una deliciosa bebida efervescente.

Debido a la presión, es aconsejable proceder con cuidado a la hora de abrir las botellas después de la fermentación secundaria. Pon especial atención en el caso de que las botellas tengan cierre de estribo, ya que son tan herméticas que contienen la presión con gran eficacia. Cuando vayas a abrir una botella de kéfir carbonatado, nunca apuntes a tu cara ni a la de nadie. Tampoco permitas que ningún niño la abra.

Añadir sabor al kéfir de agua y convertirlo en kéfir carbonatado

El kéfir de agua sabe mejor cuando se le añade sabor. Sin los ingredientes adicionales, su sabor es ligeramente dulce y alimonado con un toque de levadura. Si le agregas zumos de frutas o frutas enteras, hierbas aromáticas o diferentes tipos de tés, le aportarás una gama más amplia de sabores. Si te gustan las bebidas azucaradas, asegúrate de añadir una pequeña cantidad extra de zumo o fruta antes de cerrar las botellas para someterlas a la fermentación secundaria. De esta forma, los probióticos dispondrán de alimento suficiente para llevar a cabo dicha fermentación y dejarán un residuo dulce para tu disfrute.

La manera más sencilla de añadir sabor al kéfir de agua es mezclarlo con zumos de frutas cien por cien naturales antes de embotellarlo para someterlo a una segunda fermentación. La cantidad ideal para conseguir un buen sabor y muchas burbujas es 240 ml (1 taza) de zumo por cada 960 ml (4 tazas) de kéfir de agua. Al parecer, en lo que respecta a la fermentación secundaria, los probióticos prefieren la fructosa antes que la sacarosa. El kéfir de agua se convertirá en kéfir carbonatado, pero recuerda que el resultado más efervescente se obtiene añadiendo fruta o zumo de fruta natural antes de llevar a cabo la segunda fermentación.

Precauciones para tener en cuenta

Los gránulos de kéfir reaccionan de manera adversa a los metales. Por esta razón, evita que cualquier utensilio de metal entre en contacto con el kéfir de agua o con los gránulos. Cuando cueles el agua para separar los gránulos, utiliza siempre un colador fino de plástico, que puedes adquirir en cualquier tienda de menaje o por internet.

Fermenta el kéfir de agua en una jarra o recipiente de cristal. El cristal es fácil de desinfectar y no atrapa las bacterias, los productos químicos o el bisfenol A (BPA). Lo fundamental es evitar que la bebida probiótica se contamine, y la manera más efectiva de conseguirlo es fermentándola en cristal.

Si en algún momento percibes un olor rancio, parecido al de la leche en mal estado, quiere decir que el kéfir se ha estropeado y, desafortunadamente, tendrás que desecharlo y comenzar desde cero con gránulos nuevos.

Durante los primeros 1 o 2 días de fermentación, el líquido no desprenderá un olor demasiado intenso, pero el tercer o el cuarto día notarás un aroma alimonado y a levadura. Dicho olor no ha de resultar repulsivo al olfato. Siempre y cuando sigas las instrucciones al pie de la letra, no deberías tener ningún problema.

Como ocurre con la mayor parte de las bebidas probióticas, el kéfir de agua prefiere fermentar a temperatura ambiente, es decir, a 18-23°C (65-75°F). El recipiente que contenga el kéfir de agua durante el proceso fermentativo nunca debería estar caliente al tacto; si esto sucede, existe el riesgo de matar los probióticos.

Igual que en el caso de la levadura del pan (o cualquier otro cultivo vivo), es posible matar el cultivo del kéfir de agua si la solución de agua azucarada contiene una cantidad excesiva de azúcar. Puede que tu intención sea ofrecer a los gránulos un impulso adicional, pero añadir una cantidad de azúcar mayor a la recomendada en las recetas puede causar la muerte de los gránulos de kéfir de agua o de los probióticos presentes en la bebida.

A pesar de que es aconsejable mantener el kéfir de agua en un ambiente limpio, no es necesario desinfectar el recipiente entre fermentación y fermentación (lo mismo se aplica en el caso de la kombucha y el jun). Esto es así porque, siempre y cuando el cultivo esté sano, serán los probióticos lo que se encarguen de evitar la proliferación de bacterias malas. No obstante, sí te recomiendo limpiarlo cada pocas tandas para mayor tranquilidad, ya que verás cómo se forma una fina película viscosa en los bordes. Esto es normal, pero, por motivos sanitarios, es aconsejable lavarlo bien con agua caliente y jabón de vez en cuando.

A continuación encontrarás las instrucciones para elaborar paso a paso kéfir de agua, seguidas de varias recetas para añadir deliciosos sabores. Comenzaremos activando los gránulos de kéfir para después elaborar kéfir de agua y, por último, convertiremos ese kéfir de agua en un refresco carbonatado tras someterlo a la fermentación secundaria.

Utensilios necesarios para elaborar kéfir de agua

- Un frasco grande de cristal (no es imprescindible que tenga tapa)
- Una pieza de tela de muselina o un paño de cocina
- Una goma elástica
- Un colador fino de plástico (preferiblemente uno pequeño, del tamaño de la boca de un vaso)
- Gránulos de kéfir de agua deshidratados (o hidratados)

Para activar los granos de kéfir deshidratados

1. Disuelve 65 g (⅓ taza) de azúcar en 960 ml (4 tazas) de agua. Espera a que la mezcla se temple hasta alcanzar la temperatura ambiente. Cualquier temperatura por encima de la temperatura ambiente puede matar el cultivo de bacterias y levaduras.

2. Vierte el agua azucarada en un frasco de cristal junto con los gránulos de kéfir de agua deshidratados. Cubre la boca del frasco con una tela de muselina (o un paño de cocina) y asegúrala con una goma elástica para impedir que entren insectos. Deja el recipiente en un lugar tranquilo (sobre la encimera de la cocina o dentro de la despensa).

3. Permite que repose durante 2 o 3 días; en cualquier caso, no más de 5 días.

4. Separa los gránulos de la solución de agua azucarada con un colador de plástico. Desecha el líquido.

5. Repite la operación varias veces, hasta que los gránulos de kéfir se hayan «activado». Sabrás que los gránulos de kéfir están activos cuando se formen burbujas en la superficie del agua en la que reposan y percibas un olor a levadura con un toque alimonado. Nunca debe ser un olor nauseabundo similar al de la leche estropeada. Si esto ocurre, deshazte tanto del kéfir de agua como de los gránulos y comienza de cero con gránulos nuevos. Los gránulos han de tener una apariencia mullida y algo traslúcida; después continuarán creciendo hasta asemejarse a pequeños ramilletes de coliflor.

OBSERVACIÓN

El proceso de activación de los gránulos puede tardar varias semanas. En mi caso, fueron 3. Sí, eso significa que tendrás que estar cambiando el agua azucarada de los gránulos una y otra vez para mantenerlos bien alimentados y sanos. Puede parecer un desperdicio, pero valdrá la pena una vez que los gránulos estén activos y puedas experimentar con las recetas que encontrarás en esta sección.

Para elaborar kéfir de agua

1. Disuelve 100 g (½ taza) de azúcar en 2,4 litros (10 tazas) de agua caliente.

2. Deja que la mezcla se temple a temperatura ambiente. Después, transfiérela a un recipiente grande de cristal y añade los gránulos de kéfir activados.

3. Tapa el recipiente con una pieza de tela de muselina (o un paño de cocina) y asegúrala con una goma elástica.

4. Deja que los gránulos reposen en el líquido durante 2 o 3 días a temperatura ambiente. En caso de que tu casa sea fría, puede que necesites alargar el tiempo de fermentación hasta 4 días, pero nunca más de 5, o los granos morirán por inanición. Observarás pequeñas burbujas ascender desde el fondo del recipiente hacia la superficie, donde se acabará formando algo de espuma o unas burbujas más grandes. El líquido desprenderá un olor alimonado a levaduras, señal de que el kéfir de agua está listo.

5. Cuela el líquido y deposítalo en una jarra o en botellas para añadirle sabor o beberlo directamente.

6. Una vez embotellada tu primera tanda de kéfir de agua puedes comenzar a elaborar una segunda utilizando los mismos gránulos activos. Podrás utilizarlos todas las veces que quieras, siempre que cuides de ellos y los mantengas en condiciones óptimas.

Para añadir sabor al kéfir de agua o elaborar kéfir carbonatado

1. Prepara una receta de esta sección o añade el zumo de fruta que más te guste al kéfir de agua, siempre que sea cien por cien natural. Lo ideal es 240 ml (1 taza) de zumo por cada 960 ml (4 tazas) de kéfir de agua.
2. Envasa el líquido en botellas con cierre hermético.
3. Deja reposar las botellas a temperatura ambiente durante 2 o 3 días para que se produzca la fermentación secundaria.
4. Después, refrigéralas en la nevera para ralentizar dicha fermentación. Eso no significa que el proceso fermentativo se vaya a detener por completo; la bebida continuará fermentando, pero a un ritmo menor. Para obtener mejores resultados, espera 24 horas antes de beber el kéfir carbonatado. Cuanto más tiempo esperes, más burbujas tendrá.

Refresco de cereza y lima

Ingredientes

- 480 ml (2 tazas) de zumo de cerezas 100 % natural
- El zumo de 5 limas
- 1,9 l (8 tazas) de kéfir de agua (página 134)

Una manera infalible de elaborar una bebida carbonatada de kéfir es añadirle zumo de fruta cien por cien natural antes de embotellarla. Los probióticos continuarán fermentando al alimentarse con la fructosa y mientras en las botellas selladas se producirá una presión que favorecerá la aparición de burbujas. Las cerezas constituyen una opción deliciosa para este tipo de bebidas, pues están repletas de nutrientes. Presentan niveles muy altos de antocianinas, unos antioxidantes que ayudan a prevenir las enfermedades del corazón y distintos tipos de cáncer. Las antocianinas tienen además propiedades antiinflamatorias, algo muy beneficioso para la salud de las articulaciones, ya que incluso pueden llegar a aliviar los síntomas de la artritis. Las cerezas también contienen ácido fólico, magnesio, hierro, potasio y vitaminas C y E. Esta superfruta resulta beneficiosa para el cerebro, porque favorece la retención de información y la memoria. Mezcla su zumo con el zumo de lima y obtendrás un refresco carbonatado delicioso.

Instrucciones

1. Añade todos los ingredientes a una jarra o a un frasco y mézclalos bien.
2. Envasa el resultado en botellas con cierre hermético y ciérralas.
3. Deja reposar las botellas a temperatura ambiente durante 2 o 3 días.

Kéfir de agua con sabor a vainilla

Ingredientes

- 120 ml (½ taza) de agua
- 100 g (½ taza) de azúcar
- 3 cucharaditas de pasta de vainilla*
- 1,9 l (8 tazas) de kéfir de agua (página 134)

Si alguna vez has pensado en elaborar refrescos caseros, seguramente se te habrá ocurrido intentarlo con el refresco de crema. Aunque todo lo que necesitas para imitar su sabor es algo de azúcar y pasta de vainilla, el resultado no tendrá burbujas, ya que el kéfir de agua prefiere la fructosa antes que la sacarosa para convertirse en un refresco efervescente. Puedes disfrutar de esta bebida sin burbujas o añadirle tu zumo de frutas favorito en lugar del agua azucarada para obtener un refresco carbónico con sabor a vainilla y un toque afrutado.

Instrucciones

1. Calienta el agua y el azúcar en una cazuela a fuego medio hasta que el azúcar se disuelva. A continuación, retira la cazuela del fuego y añade la pasta de vainilla. Remueve hasta que quede totalmente incorporada.

2. Transfiere la mezcla a un recipiente y refrigéralo en la nevera hasta que alcance la temperatura ambiente, entre 21 y 26 °C (70-80 °F).

3. Vierte la mezcla en botellas herméticas.

4. Cierra las botellas y déjalas reposar a temperatura ambiente durante 2 o 3 días para que se produzca la fermentación secundaria.

5. Refrigera las botellas en la nevera para ralentizar dicha fermentación.

6. Disfruta de esta bebida bien fría.

* Puedes adquirir la pasta de vainilla en cualquier establecimiento de alimentación ecológica. Es muy similar al extracto de vainilla. Puedes sustituirla por 3 cucharadas de extracto puro de vainilla o por las semillas de 3 vainas de vainilla.

Refresco de naranja y jengibre

Ingredientes

- 720 ml (3 tazas) de zumo de naranja natural (no concentrado)
- 2 cucharadas de jengibre fresco rallado
- 1,9 l (8 tazas) de kéfir de agua (página 134)

Los cítricos y el jengibre fresco forman una buena combinación. El jengibre es un gran remedio para las náuseas y para aliviar el dolor de estómago, además de ser un antibiótico natural. Mezclar el zumo de naranja recién exprimido y el jengibre con el kéfir de agua —rico en probióticos— da como resultado un remedio calmante, que activa el sistema inmunitario y que se puede tomar en cualquier época del año. También es especialmente beneficioso para tratar resfriados. Con esta receta, muy fácil de hacer, se obtiene una bebida burbujeante de gran sabor.

Instrucciones

1. Añade todos los ingredientes a una jarra y remueve bien para mezclar.

2. Vierte el resultado en varias botellas y ciérralas.

3. Deja reposar las botellas a temperatura ambiente durante 3 días para que se produzca la fermentación secundaria.

4. Refrigera las botellas en la nevera para ralentizar la fermentación y para que se enfríen antes de beberlas.

5. Cuando estén listas, cuela el líquido con un colador fino para separar la pulpa de jengibre.

Refresco de melocotón

Ingredientes

- **2 melocotones grandes y maduros, pelados, sin hueso y troceados**
- **120 ml (½ taza) de agua**
- **50 g (¼ taza) de azúcar**
- **1,9 l (8 tazas) de kéfir de agua (página 134)**

Los melocotones aportan un sabor suave y dulce al kéfir, y con su pulpa se obtiene una bebida muy efervescente. Ten mucho cuidado a la hora de abrir las botellas después de la fermentación secundaria, sobre todo si tienen cierre de estribo. Debido a la presión, puede que el líquido salga con fuerza al abrir las botellas si estas han reposado demasiado tiempo a temperatura ambiente.

Instrucciones

1. Añade los melocotones troceados y el agua a una cazuela pequeña. Tápala y cocina a fuego medio hasta que rompa a hervir.

2. Reduce el fuego y cocina a fuego lento, dejando la cazuela sin tapar, hasta que los melocotones pierdan por completo la forma (unos 30 minutos). Tritúralos con un tenedor y remueve de vez en cuando para facilitar el proceso. Cocina durante 10 minutos más sin tapar para que la mezcla reduzca. Su textura ha de ser consistente y suave, aunque no importa si presenta pequeños grumos.

3. Añade el azúcar y remueve hasta que se disuelva. Retira la cazuela del fuego y espera a que el contenido se enfríe hasta alcanzar la temperatura ambiente.

4. Combina la mezcla de melocotón con el kéfir de agua en una jarra o en un tarro y remueve bien.

5. Vierte el resultado en varias botellas y ciérralas. Déjalas reposar a temperatura ambiente durante 2 o 3 días para que se produzca la fermentación secundaria.

6. Refrigera las botellas en la nevera para detener dicha fermentación.

7. Si quedan pequeños trozos de melocotón o grumos de pulpa, puedes colar la bebida antes de beberla. Sírvela fría y disfruta.

Kéfir de agua con sabor a zarzaparrilla

Ingredientes

- 240 ml (1 taza) de agua
- 50 g (¼ taza) de raíz de zarzaparrilla
- 50 g (¼ taza) de azúcar
- 960 ml (4 tazas) de kéfir de agua (página 134)

Si eres fan de la zarzaparrilla, te encantará hacer esta bebida en casa. Con un poco de raíz de zarzaparrilla, que puedes adquirir en cualquier establecimiento de comida ecológica, estarás en disposición de elaborar tu propio kéfir de agua con sabor a zarzaparrilla. Debido a que el kéfir de agua adquiere efervescencia únicamente cuando se le añade fruta o zumo de fruta natural, esta bebida no tiene muchas burbujas, aunque aparecerán algunas después de la fermentación secundaria. Puede que el resultado no sea tan carbonatado como el refresco de zarzaparrilla, pero sí tiene el mismo sabor.

La raíz de zarzaparrilla contiene saponinas, gracias a las cuales presenta propiedades antibacterianas y antiinflamatorias. También alivia problemas gástricos y purifica la sangre, por lo que a menudo se utiliza en la medicina natural.

Instrucciones

1. Añade 240 ml (1 taza) de agua a una cazuela y llévala a ebullición. Incorpora la raíz de zarzaparrilla y deja que infusione durante 30 minutos.

2. La infusión ha de enfriarse hasta estar a temperatura ambiente (puedes meterla en la nevera para acelerar el proceso).

3. Combina el kéfir de agua con la infusión de zarzaparrilla en una jarra. Retira la raíz de zarzaparrilla con una cuchara y repártela entre las botellas que vayas a utilizar (favorecerá el proceso de fermentación secundaria y continuará aportando sabor a la bebida).

4. Envasa la bebida en botellas herméticas.

5. Déjalas reposar a temperatura ambiente durante 3 días.

6. Refrigéralas en la nevera.

7. Antes de consumir la bebida, cuélala con un colador fino para separar la raíz de zarzaparrilla.

Refresco de kéfir con sabor a frambuesa

Ingredientes

- 400 g (2 tazas) de frambuesas frescas
- 120 ml (½ taza) de agua
- 50 g (¼ taza) de azúcar
- 1,9 l (8 tazas) de kéfir de agua (página 134)

Las bebidas probióticas con sabor a frambuesa gustan a casi todo el mundo. Puedes servir esta receta como kéfir de agua nada más prepararla o puedes embotellarla y someterla a una fermentación secundaria durante varios días para obtener un refresco carbonatado con sabor a frambuesa.

Instrucciones

1. Añade las frambuesas, el agua y el azúcar a una cazuela y llévalas a ebullición.

2. Reduce el fuego y deja que la mezcla burbujee durante una par de minutos.

3. Retira la cazuela del fuego y espera a que el contenido se enfríe hasta alcanzar la temperatura ambiente. Para acelerar el proceso, pasa la mezcla a un cuenco y refrigérala en la nevera.

4. Combina las frambuesas y el kéfir de agua en una jarra y remueve bien.

5. Transfiere la bebida (incluyendo la pulpa de frambuesa) a varias botellas con cierre hermético.

6. Cierra las botellas y déjalas a temperatura ambiente durante 2 o 3 días para que se produzca la fermentación secundaria. Cuanto más tiempo reposen a temperatura ambiente, más efervescente será el resultado, así que no las dejes demasiado o el líquido saldrá disparado cuando las abras.

7. Antes de beber, cuela la bebida con un colador fino para separar la pulpa de frambuesa.

Limonada de kéfir

Ingredientes

- 120 ml (½ taza) de zumo de limón recién exprimido (el zumo de unos 4 limones)
- 60 ml (¼ taza) de agua
- 50 g (¼ taza) de azúcar
- 1,9 l (8 tazas) de kéfir de agua (página 134)

Aunque en este libro encontrarás toda una sección dedicada a la limonada probiótica, no hay que olvidar que también se puede elaborar limonada de kéfir. Esta es una receta ideal para aquellos que nunca han probado el kéfir de agua, ya que gracias al limón se obtiene una bebida muy refrescante. Es muy sencilla de hacer y resulta perfecta para los recién iniciados en el mundo de las bebidas probióticas. También gusta mucho a los adolescentes, quienes todavía no tienen preparado el paladar para bebidas más fuertes como la kombucha.

Ten en cuenta que esta limonada, incluso tras una segunda fermentación, no tiene muchas burbujas. Por lo tanto, puedes servirla justo después de prepararla o embotellarla y someterla a una fermentación secundaria para continuar alimentando a los probióticos y a las levaduras.

Instrucciones

1. Calienta el zumo de limón, el agua y el azúcar en una cazuela a fuego lento para que el azúcar se disuelva.

2. Espera a que la mezcla se enfríe hasta alcanzar la temperatura ambiente. Si quieres acelerar el proceso, viértela en un cuenco y refrigérala en la nevera.

3. Combina la mezcla de limón y azúcar con el kéfir de agua en una jarra grande.

4. Después transfiérela a varias botellas con cierre hermético.

5. Cierra las botellas y déjalas reposar a temperatura ambiente durante 2 o 3 días para que se produzca la fermentación secundaria (o, simplemente, métela en la nevera; también puedes servirlas en el acto).

6. Refrigera la limonada de kéfir y sírvela bien fría.

Kéfir de leche

Sobre el kéfir

El kéfir de leche es el tipo de kéfir más popular y que más se consume, y lo puedes encontrar en la sección de lácteos de casi cualquier supermercado. Aunque su origen exacto es desconocido, se cree que proviene de la cordillera del Cáucaso, donde se fermentaba la leche de vaca con gránulos de kéfir dentro de zurrones hechos con piel de cabra. La palabra *kéfir* significa «sensación agradable» en turco. El kéfir es el resultado de la fermentación de los gránulos de kéfir de leche en leche de vaca, cabra o coco.

Los gránulos de kéfir de leche en realidad no son granos. Se trata de colonias de bacterias y levaduras que se unen y se desarrollan y adquieren el aspecto de pequeños ramilletes de coliflor. Cuando estos gránulos se fermentan con leche se obtiene una sustancia agria y densa similar al yogur. El kéfir se suele tomar en forma de bebida, pero también se puede utilizar para elaborar smoothies.

El kéfir tiende a ser bastante caro, por lo que elaborarlo en tu propia casa resulta más rentable (¡y sano!) que comprarlo. En esta sección encontrarás dos opciones para elaborar kéfir. La primera se hace con el cultivo iniciador liofilizado y la segunda (la más auténtica), con gránulos de kéfir de leche. Además, dispones de varias recetas para añadir sabores deliciosos.

En este libro también hallarás recetas de kéfir de agua (o kéfir carbonatado). A pesar de que el kéfir de agua y el kéfir de leche son similares en tanto en cuanto ambos son bebidas probióticas, los gránulos de kéfir de agua no se pueden utilizar para elaborar kéfir de leche, de igual manera que no se pueden usar gránulos de kéfir de leche para elaborar kéfir de agua.

Como ocurre en el caso del yogur artesanal, puedes comprar kéfir natural para utilizarlo como base de tu kéfir casero. Lo más habitual es usar gránulos de kéfir o kéfir liofilizado. Encontrarás las instrucciones para ambos en esta sección. Si utilizas leche de vaca, no importa su contenido en grasa, aunque la leche entera da como resultado un kéfir más denso, cremoso, intenso y dulce. Si usas leche de coco, también te recomiendo que sea entera.

Para añadir sabor al kéfir casero puedes utilizar fruta fresca madura o endulzantes. Si te decides por la fruta de temporada y edulcorantes naturales, obtendrás una bebida muy saludable con un sabor que no hallarás en el kéfir comercial.

El kéfir está repleto de vitaminas esenciales y probióticos. Es rico en vitaminas A, B_1, B_6 y D y en ácido fólico. También se ha demostrado que beber kéfir puede reparar daños estomacales e intestinales, por lo que es de gran ayuda para aquellos que padezcan problemas digestivos o algunas dolencias, como la enfermedad de Crohn, celiaquía, candidiasis o síndrome del intestino irritable. Las personas intolerantes a la lactosa pueden tomar kéfir, ya que una de las consecuencias del proceso de fermentación es la presencia de lactasa, una enzima que favorece la digestión de la leche en los seres humanos.

Es posible elaborar kéfir utilizando leche de coco con gránulos de kéfir de leche. Aunque el proceso es el mismo que si se utiliza leche de vaca, es necesario devolver los gránulos de kéfir a la leche de vaca periódicamente para que se mantengan vivos y sanos. Para elaborar un kéfir no lácteo, sigue las mismas instrucciones dadas en la Opción 2, pero utilizando leche de coco en lugar de leche de vaca.

Opción 1: elaborar kéfir con base liofilizada

Ingredientes

- 1 l de leche
- 5 g (1 sobre) de cultivo liofilizado de kéfir

También necesitas

- Un frasco de conserva de 1 l (1 qt aprox.)
- Una cazuela grande para calentar la leche
- Un termómetro
- Un colador fino de plástico

Instrucciones

1. Calienta la leche en una cazuela grande hasta que alcance los 82 °C (180 °F). Remueve constantemente mientras la leche se va calentando y se forma espuma. No dejes que hierva.

2. Retira la leche del fuego y espera a que se enfríe hasta alcanzar una temperatura de 22-25 °C (73-77 °F). Para acelerar el proceso puedes colocar la cazuela sobre hielo o meterla en la nevera.

3. Añade 5 g (1 paquete) de cultivo liofilizado de kéfir a un cuenco. Vierte sobre él una pequeña cantidad de la leche ya templada y mezcla para disolver el cultivo. Después, añádelo a la cazuela con el resto de la leche y remueve bien.

4. Transfiere la mezcla de kéfir al frasco de conserva y tápalo con una pieza de tela de muselina, un filtro de cafetera o un paño de cocina asegurado con una goma elástica. Déjalo a temperatura ambiente durante 24 horas, hasta que veas que se han formado grumos.

5. Refrigera el kéfir (esto detendrá el proceso fermentativo).

6. Antes de consumirlo, cuélalo con un colador de plástico fino para eliminar los grumos.

7. Ahora ya puedes añadir sabor al kéfir si así lo deseas.

CONSEJOS

1. *Desde hace años, los expertos en la elaboración de kéfir aconsejan no utilizar utensilios de metal en ninguna de las fases del proceso, sugiriendo el uso de cucharas de madera para remover y coladores de plástico para colarlo. Nuevas investigaciones han demostrado que no pasa nada si se usan utensilios de acero inoxidable, pero no de cualquier otro metal.*

2. *Cuando hayas terminado de elaborar el kéfir, el resultado será denso y con grumos. Esto es normal. Lo único que has de hacer es colarlo con un colador fino de plástico antes de consumirlo para disfrutar de un producto más cremoso.*

Opción 2: elaborar kéfir utilizando gránulos de kéfir

Ingredientes

- 2 cucharadas de gránulos de kéfir de leche
- 480 ml (2 tazas) de leche

Instrucciones

1. Si los gránulos de kéfir están deshidratados, lo primero que tienes que hacer es hidratarlos. Para ello, sigue las instrucciones del fabricante. El proceso será similar al del kéfir de leche.

2. Una vez que los gránulos de kéfir estén activos e hidratados, simplemente añádelos a un frasco y vierte la leche por encima. Tapa con una pieza de tela de muselina, un filtro de café o un paño de cocina y asegúralo con una goma elástica.

3. Deja que repose a temperatura ambiente: entre 21-25 °C (70-78 °F) es lo ideal. Si el lugar en el que reposa tiene una temperatura inferior, tardará más en fermentar. Si la temperatura es más alta, el proceso se acelerará.

4. Con un colador fino de plástico, separa los gránulos del kéfir y guarda este último en un frasco.

5. Refrigera el kéfir. Ahora puedes comenzar a elaborar otra tanda con los gránulos de kéfir de leche.

CONSEJO

Dos cucharadas de gránulos por cada 480 ml (2 tazas) de leche es lo ideal aunque, con el tiempo, los gránulos de kéfir aumentarán de tamaño, por lo que con la misma cantidad obtendrás un mayor volumen de kéfir.

RESOLUCIÓN DE PROBLEMAS

Si dejas reposar el kéfir más de 24 horas, se puede separar. Verás una sustancia turbia en el fondo del recipiente y grumos grandes en la superficie. Aunque es apto para beber, no resulta tan agradable como cuando está cremoso. Si el kéfir se ha separado, no tires los gránulos, ya que se pueden reutilizar.

LAIT PUR DE NORMANDIE
ARRIVAGE 2 FOIS PAR JOUR

Le bon lait

Ferme du Vallon   31-29-73-41

Kéfir de té chai con sirope de arce

Ingredientes

- 1 ½-2 cucharadas de sirope de arce natural
- 1 cucharadita de especias para té chai (ver receta a continuación)
- 720 ml (3 tazas) de kéfir casero (páginas 151–154)

Mezcla casera de especias para té chai

- 2 cucharaditas de canela
- 1 cucharadita de cardamomo en polvo
- 1 cucharadita de jengibre en polvo
- ½ cucharadita de nuez moscada en polvo
- ¼ cucharadita de clavo molido
- Una pizca de pimienta negra

Utiliza la cantidad sobrante para otras recetas de repostería, para añadirla al chocolate caliente o al café o para aportar sabor a la kombucha, el jun o el yogur.

El té chai, tan dulce y cremoso, gusta en cualquier época del año, pero especialmente durante el invierno. Al incorporar los sabores del té chai a esta bebida fría, la hace apetecible incluso en las estaciones más frías, cuando uno suele preferir las bebidas calientes. Para obtener un sabor a té chai puro, puedes elaborar tu propia mezcla de especias en casa utilizando algunas de las que probablemente tengas en la despensa, o puedes comprarla ya preparada. El sirope de arce, utilizado como endulzante natural, le aporta una suntuosidad especial y además, es muy saludable. Tiene manganeso y zinc, que son especialmente beneficiosos para el sistema inmunitario y el sistema reproductor masculino.

Instrucciones

Combina todos los ingredientes de la receta en una jarra y remueve hasta que las especias hayan quedado bien mezcladas. También puedes batirlos con un robot de cocina o una batidora.

CONSEJOS

Puedes convertir esta receta en un té chai de vainilla añadiendo las semillas de una vaina de vainilla y mezclándolas con el resto de los ingredientes.

Esta bebida se conserva en la nevera hasta 5 días. Remueve antes de tomarla.

Kéfir de mango

Ingredientes

- 1 mango maduro, pelado, sin el hueso y troceado (unos 200 g [1 taza])
- 2 cucharaditas de néctar de agave, opcional
- 480 ml (2 tazas) de kéfir (páginas 151-154)

Este kéfir de mango, similar al lassi de mango (una bebida india elaborada a base yogur), tiene un sabor muy agradable. Los mangos dulces y maduros le aportan un toque exótico y único. Encontrarás mangos maduros en las fruterías prácticamente durante todo el año, por lo que puedes elaborar esta bebida en cualquier momento. Aparte de su sabor maravilloso, los mangos son muy nutritivos. Están repletos de vitaminas C y A y contienen antioxidantes y enzimas que previenen la leucemia, el cáncer de próstata y el cáncer de mama. También limpian los poros, lo que los convierte en un tratamiento ideal para el acné, tanto si los ingieres como si los aplicas de forma tópica.

Instrucciones

Añade los tres ingredientes al vaso de una batidora y bate hasta conseguir una mezcla homogénea y sedosa. Como alternativa, puedes batir el mango y el néctar de agave con una batidora de alta potencia y añadir el resultado a una base de kéfir para disfrutar de un postre por capas.

OBSERVACIÓN

Esta bebida se conserva bien en la nevera hasta 5 días. Remueve bien antes de tomarla.

Kéfir de lima

Ingredientes

- 1 ½ cucharadas de zumo de lima de los cayos de Florida (unas 8-10 limas)
- 1 cucharada de azúcar★
- 80 ml (⅓ taza) de leche de coco
- 240 ml (1 taza) de kéfir (páginas 151-154)

★ El azúcar se puede sustituir por una cantidad de néctar de agave al gusto. Si decides usar el néctar de agave, lo único que tienes que hacer es combinar todos los ingredientes y saltarte el paso 1 de las instrucciones.

¿Qué te parecería tomar un pastel de lima en vaso? Así es el sabor de este kéfir, dulce, cremoso y ácido. Las limas de los cayos de Florida son más pequeñas que las limas normales, su sabor es más ácido y su dulzor resulta más sutil. De ellas se obtiene poca cantidad de zumo, pero no dejes que el tiempo que se tarda en exprimirlas te desaliente, ya que el resultado merece la pena.

Instrucciones

1. Calienta la leche de coco, el zumo de lima y el azúcar en una cazuela para que esta última se disuelva. Transfiere la mezcla a un recipiente y mételo en la nevera hasta que se enfríe por completo.

2. Combina todos los ingredientes en una taza y remueve bien.

OBSERVACIÓN

Esta bebida se conserva bien en la nevera hasta 5 días.

Kéfir de arándanos rojos

Ingredientes

- 400 g (2 tazas) de arándanos rojos frescos o congelados
- 2 cucharadas de azúcar
- 60 ml (¼ taza) de agua
- 480 ml (2 tazas) de kéfir casero natural (páginas 151-154)

Teniendo en cuenta los increíbles beneficios de los arándanos rojos para la salud, me pregunto por qué no los comemos más a menudo. Son ricos en vitamina C y presentan casi la misma densidad de antioxidantes que los arándanos azules. También evitan que las bacterias se asienten en el tracto urinario, por lo que previenen y alivian las infecciones de orina.

Los arándanos rojos están disponibles en cualquier época del año, ya que los hay congelados de muy buena calidad que se pueden comprar cuando no están de temporada. Debido a su naturaleza ácida, esta receta requiere una cantidad extra de edulcorante para contrarrestarla. Para ello, puedes utilizar endulzantes naturales, como el néctar de agave o la miel.

Instrucciones

1. Calienta a fuego medio los arándanos rojos, el agua y el azúcar en una cazuela pequeña tapada.

2. Cuece hasta que los arándanos se hayan ablandado y hayan soltado el jugo. Tritúralos con un tenedor.

3. Vierte la mezcla de arándanos rojos en un vaso y deja que se enfríe por completo en la nevera.

4. A continuación, transfiérela al vaso de la batidora y bate hasta conseguir una mezcla homogénea y sedosa.

OBSERVACIÓN

Esta bebida se conserva en la nevera hasta 5 días.

Kéfir de chocolate

Ingredientes

- 120 ml (½ taza) de leche
- 2 cucharadas de cacao puro en polvo*
- 3 cucharadas de azúcar
- 480 ml (2 tazas) de kéfir (páginas 151-154)

* El cacao puro en polvo puede ser reemplazado por chocolate en polvo, pero has de tener en cuenta que el sabor será diferente.

El kéfir de chocolate es un capricho decadente y una buena alternativa a todas las recetas de kéfir con sabor a fruta. A pesar de que se parece más a un postre, también es muy saludable. El cacao puro en polvo está considerado un superalimento natural. Se trata de chocolate crudo, antes de que se le añada aceite, leche o azúcar. El cacao puro en polvo contiene antioxidantes, que ralentizan y previenen el daño celular. También afecta a las glándulas suprarrenales y a los receptores relacionados con el placer; por eso provoca felicidad e incluso tiene la capacidad de acelerar el metabolismo. Si quieres obtener una bebida más saludable, la puedes endulzar con néctar de agave, pero el azúcar parece funcionar mejor desde el punto de vista del gusto y la textura.

Instrucciones

1. Calienta la leche, el cacao puro en polvo y el azúcar en una cazuela pequeña a fuego medio. Remueve constantemente para que el cacao y el azúcar se disuelvan. No permitas que la mezcla hierva. Una vez disueltos los grumos de cacao, retira la cazuela del fuego y deja que el contenido se enfríe. Puedes acelerar el proceso refrigerándolo en la nevera.

2. Cuela 480 ml (2 tazas) de kéfir en un frasco o en un vaso.

3. Una vez que la mezcla de chocolate se haya enfriado, combínala con el kéfir. Remueve hasta que ambos se fusionen.

OBSERVACIÓN

Esta bebida se conserva en la nevera hasta 5 días.

Kéfir de melocotón y miel

Ingredientes

- 3 melocotones maduros, troceados
- 2 cucharadas de miel
- 480 ml (2 tazas) de kéfir (páginas 151–154)

Los melocotones y el kéfir forman una pareja ideal. No es un secreto que aquellos combinan a la perfección con cualquier ingrediente cremoso, ya que su dulzor y su acidez aportan un maravilloso equilibrio. Esta es una receta muy sencilla que solo necesita tres ingredientes y un robot de cocina o una batidora potente. La miel intensifica el sabor de los melocotones y al estar endulzada de forma natural, esta bebida es muy saludable (además de estar buenísima).

Instrucciones

1. Pela, retira el hueso y trocea los melocotones.

2. Añádelos junto a la miel a la cubeta de un robot de cocina y bate hasta conseguir una mezcla sedosa. Si fuera necesario, añade una cucharada de agua para ayudar a batir los melocotones.

3. Incorpora el kéfir ya colado y bate hasta conseguir una bebida homogénea.

OBSERVACIÓN

Esta bebida se conserva en la nevera hasta 5 días.

Kéfir de fresa

Ingredientes

- 960 ml (4 tazas) de kéfir (páginas 151-154)
- 800 g (4 tazas) de fresas frescas, troceadas
- 50 g (¼ taza) de azúcar u 85 g (¼ taza) de néctar de agave

El kéfir de fresa es una bebida maravillosa que puedes tomar en cualquier momento. Resulta muy sencillo elaborarla en grandes cantidades y gusta a casi todo el mundo. También la puedes incorporar con facilidad a tus smoothies de fruta favoritos. Para endulzarla de manera natural, te recomiendo utilizar néctar de agave, sirope de arce o azúcar de dátil en lugar de azúcar de caña. Para aquellos que quieran que sus hijos beban kéfir, esta es la receta perfecta.

Instrucciones

1. Añade las fresas troceadas a una cazuela, tápala y cocina a fuego medio.

2. Lleva las fresas a ebullición y continúa cocinando hasta que se ablanden, burbujeen y suelten su jugo (unos 10 minutos).

3. Incorpora el azúcar y remueve para que se disuelva.

4. Retira del fuego y deja que la mezcla se temple en un cuenco o recipiente. Después métela en la nevera para que se enfríe por completo.

5. Bate el kéfir y las fresas con una batidora hasta conseguir una mezcla sedosa. Puedes servir la bebida inmediatamente o conservarla en una botella cerrada.

OBSERVACIÓN

Esta bebida se conserva en la nevera hasta 5 días.

Kéfir de plátano asado

Ingredientes

- **2 plátanos maduros (pero firmes)**
- **2 cucharadas de miel**
- **480 ml (2 tazas) de kéfir casero natural (páginas 151-154)**

A todos aquellos que nunca han probado el plátano asado, se lo recomiendo. Al hornearlo, aflora todo el dulzor de la fruta, que adquiere un intenso sabor casi caramelizado. Asar plátanos no requiere mucho tiempo y su sabor es tan diferente al del plátano crudo que el esfuerzo extra bien merece la pena. Esta bebida es densa y tiene el aire de un postre sofisticado, pero es muy saludable, porque además está endulzada con miel. Se trata de una receta ideal para añadirla a los smoothies e incluso a la leche merengada, ya que le aporta originalidad y una cremosidad muy dulce.

Instrucciones

1. Precalienta el horno a 200 °C (400 °F).

2. Pela los plátanos y córtalos por la mitad a lo largo.

3. Forra una fuente de horno con papel de aluminio y dispón los plátanos sobre ella. Riégalos con la miel.

4. Hornea los plátanos durante 10-12 minutos, hasta que hayan adquirido un ligero tono dorado.

5. Saca la fuente del horno y deja que los plátanos se enfríen hasta alcanzar la temperatura ambiente (o enfríalos por completo en la nevera).

6. Añade los plátanos y el kéfir al vaso de la batidora y bate hasta obtener una mezcla homogénea y sedosa.

7. Sirve inmediatamente o refrigera la bebida en la nevera y consúmela antes de que transcurran 24 horas. No esperes más de 1 o 2 días para beberla, ya que los plátanos continuarán oxidándose y su sabor no será tan bueno como recién batidos.

OBSERVACIÓN

Esta bebida se conserva en la nevera hasta 5 días.

Kéfir de arándanos azules

Ingredientes

- 400 g (2 tazas) de arándanos azules, frescos o congelados
- 1 cucharada de agua
- 1 cucharada de azúcar o de néctar de agave
- 480 ml (2 tazas) de kéfir casero natural (páginas 151-154)

Los arándanos azules están disponibles durante casi todo el año, por lo que podrás elaborar esta sencilla receta cuando desees. Son ricos en antioxidantes y se los considera un superalimento, beneficioso para el cerebro y con gran densidad vitamínica. A pesar de que es recomendable preparar las recetas de este libro con fruta fresca, en este caso también se pueden utilizar arándanos congelados, algo que resulta muy conveniente si se quiere preparar una bebida rápida.

Instrucciones

1. Añade los arándanos azules y el agua a una cazuela, tápala y cocina a fuego medio.

2. Una vez que los arándanos liberen sus jugos y burbujeen, añade el azúcar (o el néctar de agave) y remueve hasta que se disuelva.

3. Cocina durante 3 minutos más, ahora a fuego lento.

4. Retira del fuego y transfiere la mezcla de arándanos a un recipiente. Tápalo e introdúcelo en la nevera para que se enfríe por completo.

5. Bate 480 ml (2 tazas) de kéfir casero junto con los arándanos hasta conseguir un resultado homogéneo y sedoso.

OBSERVACIÓN

Esta bebida se conserva en la nevera hasta 5 días.

Yogur

Sobre el yogur

El yogur es leche fermentada, resultado de un proceso por el que las bacterias consumen la lactosa de la leche y la convierten en ácido láctico. El ácido láctico reacciona con la proteína de la leche y eso hace que espese, dando lugar a una sustancia cremosa, dulce y agria. Aunque también se pueden elaborar yogures no lácteos a base de leche de soja, coco o almendras, tradicionalmente, el yogur se obtiene de la leche de vaca. El origen exacto del yogur es incierto, pero existen menciones a él en antiguos textos turcos e indios. Cada cultura tiene su opinión sobre su sabor, qué tipo de leche utilizar o cuál debería ser su densidad. Muchas de ellas lo utilizan en elaboraciones tanto saladas como dulces.

A pesar de que el yogur no es técnicamente una bebida, creo que se adapta bien al contenido de este libro porque se puede mezclar con otros ingredientes para elaborar smoothies o lassi. Echa un vistazo a las recetas de smoothies en las que se puede utilizar yogur. Las encontrarás a partir de la página 203.

Los beneficios del yogur para la salud

Como ocurre con todas las bebidas probióticas que aparecen en este libro, la lista de beneficios del yogur para la salud parece interminable. Los probióticos presentes en él te ayudarán a equilibrar la flora intestinal, lo que favorece la regularidad del sistema digestivo, aliviando tanto el estreñimiento como la diarrea y facilitando el paso de los alimentos por el tracto gastrointestinal. El yogur también ayuda a prevenir el cáncer de colon y atenúa los síntomas del síndrome del intestino irritable. Las mujeres que padecen candidiasis suelen ser más propensas a sufrir infecciones vaginales por hongos levaduriformes; consumir yogur de manera habitual puede ayudar a prevenir dichas infecciones.

El yogur contiene proteínas (¡12 g por cada 200 g!), magnesio, zinc, potasio, calcio, riboflavina y vitaminas B_6 y B_{12}. Tomar yogur con fruta, frutos secos o cereales tipo granola, miel o sirope de arce en el desayuno o como tentempié es una opción saludable y deliciosa.

El yogur es más fácil de digerir que la leche. Una consecuencia del proceso de fermentación es la aparición de lactasa, la enzima responsable de descomponer la lactosa, que es el azúcar de la leche. Las personas intolerantes a la lactosa presentan bajos niveles de lactasa, razón por la que les resulta tan difícil asimilar los productos lácteos. Debido a que los probióticos presentes en los lácteos han consumido una parte de la lactosa dando lugar a la aparición de lactasa, muchos intolerantes a la lactosa pueden disfrutar del yogur sin sufrir reacciones adversas.

Si consumes yogur industrial, ten cuidado con las marcas que eliges. No todos los yogures contienen cultivos vivos y activos (lo que significa que los beneficiosos probióticos no están presentes), así que asegúrate de leer bien las etiquetas antes de comprarlos para averiguar si los contienen. Además, algunos fabricantes añaden más azúcar de caña, estabilizantes y conservantes que otros. Si elaboras el yogur de forma artesanal en tu propio hogar obtendrás un alimento vivo, rico en probióticos, al que le puedes añadir sabores diferentes de acuerdo con tus gustos y tus necesidades nutricionales.

Elaborar yogur en casa

Cómo desinfectar los recipientes

Es muy importante esterilizar los recipientes que vayas a utilizar para conservar el yogur; de esa forma evitarás la presencia de bacterias nocivas antes de añadir la base. El yogur fermenta a una temperatura óptima para el desarrollo de todo tipo de bacterias, tanto buenas como malas. Por lo tanto, debido a que mediante el proceso fermentativo estás habilitando un entorno ideal para la proliferación de microorganismos, lo más conveniente es asegurarse de que los únicos que lleguen a desarrollarse sean los probióticos.

Puedes lavar a mano con agua y jabón los frascos de conserva o recipientes que vayas a utilizar o puedes llenarlos de agua hirviendo y dejar que reposen durante varios minutos. Otra opción es desinfectarlos siguiendo estas instrucciones:

1. Coloca los frascos de conserva bocarriba junto a las tapas en una olla grande y llénala de agua.
2. Tapa la cazuela y lleva a ebullición. Hierve los recipientes durante 10 minutos.
3. Retira la cazuela del fuego y déjala cubierta, con los recipientes dentro, hasta que vayas a utilizarlos.

La ventaja de utilizar frascos de conserva es que el yogur te durará 1 mes si los cierras bien. En cualquier caso, puedes usar los recipientes de cristal que más te gusten, siempre y cuando se puedan cerrar bien. Sin embargo, en este caso, los frascos de conserva con capacidad para 1-2 litros (1-2 qt aproximadamente) parecen ser los más adecuados.

Contenido en grasa

El yogur se puede elaborar fácilmente utilizando leche desnatada, semidesnatada o entera. La elección depende de ti. Cuanto mayor sea el contenido en grasa, más denso y cremoso será el resultado, pero si cuelas el yogur elaborado a base de leche desnatada o semidesnatada a través de una tela de muselina obtendrás un yogur más denso, como el yogur griego (encontrarás las instrucciones para elaborar yogur griego en la página 181).

Mucha gente cree, de manera equivocada, que cuanto más bajo es el contenido en grasa de los alimentos, más sanos son. Diversos estudios han demostrado que no siempre es así. Las grasas saludables (como la proteína procedente de animales alimentados con pastos naturales o las grasas omega-3) ayudan al aparato digestivo a procesar la comida; una dieta sin grasas causa problemas gástricos y provoca una absorción inadecuada de nutrientes. En el caso particular de la leche, eliminar la grasa también supone la desaparición de vitaminas y nutrientes. Por eso existen en el mercado leches con vitaminas añadidas. A pesar de que la leche entera tiene mayor contenido calórico que la desnatada, la grasa de la leche (y las grasas en general) ralentiza la liberación del azúcar en la sangre, lo que a su vez disminuye la capacidad del cuerpo para almacenar lípidos.

Si hablo de la grasa de la leche en esta sección es porque afecta al resultado final del yogur casero. El sabor, la textura y la consistencia dependen del tipo de leche utilizado. Yo prefiero el yogur de leche entera y el yogur griego. El yogur griego se puede elaborar tanto con leche entera como con leche desnatada o semidesnatada. Lo ideal es utilizar un yogur con textura densa a la hora de elaborar las recetas que encontrarás a continuación, ya que el resultado es mucho mejor que si usas un yogur más licuado. El yogur de leche entera y el yogur griego son muy densos, pero el yogur griego lo es más, y también tiene un sabor más agrio, por lo que las recetas elaboradas con él pueden requerir una pequeña cantidad extra de endulzante, dependiendo de tus gustos.

Cada receta de yogur que aparece en esta sección está elaborada con yogur de leche entera o yogur griego. Debido a su magnífica densidad, tanto uno como otro constituyen una base fabulosa para añadir ingredientes adicionales que puedan contener líquido, ya que eso no alterará su textura cremosa. El yogur griego se erige como la opción ideal para los yogures de sabores, ya que se le elimina el suero (la parte líquida). Por favor, recuerda que si para cualquiera de las recetas que encontrarás a continuación utilizas un yogur casero bajo en grasa (al que no se le ha eliminado el suero para convertirlo en yogur griego), lo más probable es que el resultado sea acuoso. Su sabor será muy bueno, pero la textura será menos compacta.

Un consejo sobre los endulzantes

Dispones de multitud de opciones edulcorantes para añadir sabor al yogur casero. En caso de preferir alimentos poco procesados y con un índice glucémico bajo, existen muchos endulzantes naturales que yo recomiendo en lugar del azúcar de caña. Teniendo en cuenta que no muchas personas son proclives al uso de edulcorantes naturales, en la mayor parte de las recetas que aparecen en el libro he utilizado azúcar de caña o néctar de agave. Algunos de mis endulzantes naturales favoritos son el néctar de agave, el sirope de arce, la miel (cruda es la mejor opción), miel en polvo, dátiles troceados, azúcar de dátiles, azúcar de coco, estevia o xilitol. Con una combinación tan sencilla como sirope de arce o fruta con yogur natural se obtiene un tentempié delicioso y muy sano.

Si te decides por los edulcorantes deshidratados o cristalizados (como el azúcar de caña, de coco, de dátiles, etc.), tendrás que disolverlos antes de añadirlos al yogur u obtendrás un resultado granuloso y agrio. Para ello, lo único que tienes que hacer es calentar al fuego todos los ingredientes que vas a añadir al yogur y dejar que la mezcla se enfríe por completo antes de combinarla con él.

Si para el yogur de frutas eliges endulzantes naturales en forma de sirope o jarabe, como el néctar de agave, el sirope de arce o la miel, puedes saltarte ese paso y simplemente mezclarlo y triturarlo todo con un tenedor. Sin embargo, al calentar la fruta, esta libera todos sus jugos, lo que le aporta al yogur un sabor que es muy difícil obtener de la fruta natural. Por esta razón, recomiendo seguir las instrucciones de cada receta como se especifica, aunque hayas decidido utilizar un endulzante líquido.

Algunas personas prefieren el yogur natural, mientras que a otras les gusta más dulce. Te aconsejo que adaptes las recetas aumentando o disminuyendo la cantidad de ingredientes edulcorantes a tu gusto. La mayor parte de estas recetas han sido elaboradas con yogur griego, que es más agrio que el yogur normal y requiere una cantidad extra de endulzante.

Yogur para cocinar

El yogur es un ingrediente ideal para cocinar y para elaborar productos de repostería. Se puede utilizar en salsas que habitualmente se elaboran con mayonesa. Yo siempre la sustituyo por yogur natural o yogur griego. También me gusta preparar salsas divertidas y sofisticadas con yogur para acompañar a las hamburguesas. ¡O aliños para ensaladas! Además, es un ingrediente fabuloso para hornear. Puedes añadirlo a la masa de tortitas en lugar de la leche y también lo puedes utilizar para elaborar pasteles, magdalenas y bizcochos. No te preocupes si crees que hay demasiado yogur en tu nevera, porque tiene infinidad de usos culinarios.

Tiempo de conservación del yogur casero

Cuando lo almacenas en un recipiente desinfectado y bien cerrado, el yogur natural casero te puede durar hasta 1 mes. Una vez que le has añadido ingredientes para proporcionarle sabor, lo ideal es consumirlo antes de que transcurra 1 semana. A pesar de que las recetas de este libro se podrían conservar durante más tiempo, es preferible consumirlas lo antes posible para poder disfrutar de un sabor y una textura óptimos.

Si añades fruta al yogur casero, esta tiende a hundirse hasta el fondo del recipiente junto con cualquier líquido que pueda haber. Por ello, remueve bien antes de consumirlo para obtener un mejor resultado.

Yogur casero

Ingredientes

- 2 l (2 qt aprox.) de leche★
- 65 g (⅓ taza) de yogur natural entero (o yogur griego) ★★

★ Puedes utilizar leche entera, desnatada o semidesnatada. De la leche entera se obtiene un yogur mucho más denso y cremoso, mientras que los otros dos tipos de leche producen un yogur más aguado.

★★ Puedes añadir un yogur natural industrial o uno elaborado en casa. Si lo compras, lee la etiqueta antes para asegurarte de que contiene cultivos activos.

Instrucciones

1. Calienta la leche en una cazuela grande a fuego medio-alto y remueve de vez en cuando. El propósito de este paso es matar las bacterias nocivas que pudieran estar presentes en la leche, así como desnaturalizar sus proteínas. La desnaturalización de las proteínas hace que la textura del yogur sea cremosa, ya que, sin este paso, el resultado presentaría grumos.

2. Mientras se calienta la leche, se formará espuma y aparecerán burbujas; en ese punto, comienza a remover de manera continua. Mide la temperatura de la leche con un termómetro. Tendrás que calentarla a 82-85 °C (180-185 °F) y mantenerla a esta temperatura durante un par de minutos (puede que tengas que reducir la intensidad del fuego a medida que la leche se vaya acercando a la temperatura óptima). Has de evitar que la leche hierva.

3. Retira la cazuela del fuego y deja que la leche se enfríe hasta alcanzar una temperatura de 46-48 °C (115-120 °F). Este es el rango óptimo de temperatura para la fermentación de los cultivos. Una temperatura muy superior a los 48 °C (120 °F) matará los probióticos. Para acelerar el proceso, puedes someter la leche a un baño de hielo introduciendo la cazuela en otra de mayor tamaño llena de agua helada y removiendo de vez en cuando. Durante el proceso de enfriado se formará una película blanca en la superficie, que puedes retirar con un tenedor o una cuchara o separar con un colador. En cualquier caso, eliminarla te garantizará una textura más uniforme.

4. Una vez que la leche haya alcanzado la temperatura deseada, añade el yogur a un cuenco junto con una pequeña cantidad de la leche templada; unos 240 ml o 480 ml (1 o 2 tazas) es lo ideal. Remueve bien. Incorpora la mezcla a la cazuela con el resto de la leche y sigue removiendo.

5. Transfiere el resultado a dos recipientes de 1 litro (1 qt aprox.) cada uno o a uno de 2 litros (2 qt aprox.).

6. Si se forman burbujas en la superficie (probablemente ocurrirá), retíralas con una cuchara antes de cerrar

los recipientes para que el yogur tenga una textura más cremosa. En lugar de utilizar las tapas de los recipientes, puedes cubrirlos con una pieza de tela de muselina asegurada con una goma elástica. Ambos métodos funcionan a la perfección.

7. Introduce los recipientes en una cazuela con agua caliente que oscile entre 48-51 °C (120-125 °F). Tapa la cazuela. Si la temperatura de tu casa es baja, envuelve la cazuela con una mantita o una toalla y añade más agua caliente a medida que se vaya enfriando la que hay dentro. Deja que el yogur repose entre 5 y 8 horas en un lugar cálido y oscuro. Cuanto más tiempo repose, más denso y ácido será.

8. Estará listo para su consumo cuando tenga una textura espesa y huela a yogur. Al refrigerarlo se asentará y se volverá un poco más denso, así que asegúrate de meterlo en la nevera antes de consumirlo.

9. Utiliza las recetas de esta sección para añadir diferentes sabores al yogur y no te olvides de divertirte durante el proceso.

Yogur griego casero

Ingredientes

- 907 g (32 oz) de yogur casero (instrucciones en página 179)★

★Puedes utilizar yogur casero elaborado a base de leche entera, desnatada o semidesnatada, pero la leche entera es la que produce un resultado más denso y cremoso.

También necesitas

- Un cuenco grande
- Una pieza grande de tela de muselina
- Dos o tres gomas elásticas

Instrucciones

1. Dobla la tela de muselina por la mitad (para que tenga más grosor) y colócala sobre un cuenco grande.

2. Vierte el yogur encima de la tela de muselina.

3. Une las cuatro puntas de la tela. El yogur tiene que quedar en el interior. Cierra la tela con ayuda de una goma elástica.

4. Una vez que has asegurado el hatillo, utiliza otra goma elástica para colgarlo de una balda o una estantería sobre el cuenco, para que la gravedad ayude a drenar el suero (el líquido) del yogur.

5. Deja la tela con el yogur colgada sobre el cuenco de 45 minutos a 1 hora.

6. Transcurrido ese tiempo, retira la goma elástica y abre la tela de muselina. El yogur debería tener un aspecto denso y fibroso. ¡Enhorabuena! Acabas de elaborar yogur griego en tu propia casa.

7. ¿Recuerdas el suero de leche obtenido del yogur? No lo tires. Está repleto de probióticos y lo puedes utilizar para hacer limonada lactofermentada. Para ello, vuelve a la sección de este libro dedicada a dicha bebida, que comienza en la página 89.

Yogur de leche de coco (no lácteo)

Ingredientes

- 2 latas de 400 ml (13,5 fl. Oz) de leche de coco entera
- 170 g (6 oz) de yogur natural de leche de coco (comercial)

Instrucciones

1. Calienta la leche de coco en una cazuela mediana hasta que alcance los 82 °C (180 °F). No permitas que la leche hierva.

2. Una vez alcanzada la temperatura deseada, retira la cazuela del fuego y deja que la leche se temple hasta alcanzar los 43-46 °C (110-115°F). Incorpora los 170 g de yogur de coco.

3. Vierte la mezcla en un recipiente de 1 litro o en dos de medio litro. Tapa los recipientes.

4. Colócalos en una cazuela con agua caliente y comprueba que la temperatura oscila entre los 48-51 °C (120-125 °F).

5. Deja que el yogur fermente durante 9 horas.

CONSEJO

Si quieres obtener un resultado más denso, puedes seguir las instrucciones correspondientes al yogur griego que aparecen en esta misma sección y drenarlo utilizando una tela de muselina.

Yogur de pastel de plátano y crema

Ingredientes

- 200 g (1 taza) de yogur griego (página 181)
- 1 plátano maduro
- 2 cucharadas de leche de coco (te recomiendo que sea entera)
- 2 cucharaditas de néctar de agave o miel (o cantidad al gusto)

El yogur de pastel de plátano y crema es una de mis recetas de yogur favoritas de este libro y también una de las más rápidas de preparar. Su sabor se parece mucho al del relleno del pastel de plátano, pero a diferencia de los pasteles de plátano, este yogur es saludable. La leche de coco le aporta cremosidad, aunque esta receta también está deliciosa sin ella.

Debido a que los plátanos se oxidan con mucha rapidez y su sabor cambia durante el proceso, lo mejor es consumir este yogur el mismo día de su elaboración. A pesar de que otras recetas de este libro se pueden hacer en grandes cantidades para tomarlas en cualquier momento, no ocurre lo mismo con esta, ya que si haces más de la que puedas consumir en un día, corres el riesgo de terminar con un montón de yogur de color marrón con sabor a plátano pasado. Esta receta se prepara en segundos y está riquísima sola, con muesli o añadida a un cuenco de gachas de avena calientes.

Instrucciones

1. Tritura el plátano maduro en un cuenco.

2. Incorpora la leche de coco y el néctar de agave y remueve hasta que todos los ingredientes queden bien mezclados.

3. Agrega el yogur y sigue removiendo.

4. Sirve justo después de haberlo preparado (el plátano se oxidará y adquirirá una tonalidad marrón si lo guardas en la nevera durante más de medio día).

5. Disfruta de este yogur solo, con muesli o añádelo a un cuenco de gachas de avena calientes.

Yogur de mojito

Ingredientes

- 400 g (2 tazas) de yogur natural entero o yogur griego (páginas 179 o 181)
- 10 hojas de menta picadas finamente (1 cucharada aprox.)
- La ralladura de 1 lima
- 1 cucharada de zumo de lima
- 2 cucharadas de néctar de agave (o azúcar)
- 80 ml (⅓ taza) de leche de coco

Buscar inspiración en cócteles como el mojito a la hora de añadir sabor al yogur casero resulta muy divertido. Este yogur de mojito lleva zumo de lima y hojas de menta, como la bebida original, lo que le aporta un sabor ácido y refrescante. Puedes elaborar esta receta en cualquier época del año, pero resulta especialmente apetecible durante el verano. La puedes consumir sola o mezclarla con melón Cantalupo para disfrutar del Refresco de melón y menta que encontrarás en la sección de smoothies de este libro (página 219).

Instrucciones

1. Añade la leche de coco, las hojas de menta, el néctar de agave, el zumo y la ralladura de la lima a una cazuela pequeña.

2. Calienta todos los ingredientes y llévalos a ebullición.

3. Reduce el fuego y cuece durante 2 minutos.

4. Retira la cazuela del fuego y deja que la mezcla se enfríe durante 10 minutos.

5. Con un colador pequeño, separa las hojas de menta y deséchalas.

6. Refrigera la mezcla de mojito en la nevera. Debe tener una consistencia densa.

7. Una vez fría, combínala con el yogur.

8. Puedes disfrutarlo de esta manera, congelarlo para hacer yogur helado o utilizarlo para elaborar el Refresco de melón y menta que encontrarás en la sección de smoothies de este libro.

OBSERVACIÓN

Este yogur se conserva en la nevera hasta 1 semana.

Yogur de moca

Ingredientes

- 400 g (2 tazas) de yogur griego (página 181)
- 80 ml (⅓ taza) de café solo, fuerte
- 4 cucharadas de cacao en polvo
- 2 cucharadas de azúcar (o cantidad al gusto)

Aunque los yogures con fruta son muy sabrosos y saludables, de vez en cuando nos merecemos un capricho. Aviso a los amantes del café: esta puede ser una nueva forma de obtener vuestra dosis de cafeína. Este yogur, con un decadente sabor a moca, es muy sencillo de elaborar utilizando el café que ya tengas hecho en casa. Lo puedes disfrutar solo o puedes incorporarlo a la receta de Smoothie de proteína de chocolate que encontrarás en la sección de smoothies de este libro (página 211).

Instrucciones

1. Añade el cacao en polvo y el azúcar a un cuenco pequeño.

2. Vierte el café caliente en el cuenco y mezcla hasta que el cacao en polvo y el azúcar se hayan disuelto por completo y hayas obtenido una mezcla densa y oscura.

3. Refrigérala.

4. Combina el yogur con la mezcla de moca y disfrútalo solo o con muesli. También puedes añadirlo al Smoothie de proteína de chocolate.

OBSERVACIÓN

Este yogur se conserva en la nevera hasta 1 semana.

Yogur de vainilla y miel

Ingredientes

- 800 g (4 tazas) de yogur natural entero o yogur griego (páginas 179 o 181)
- Las semillas de 2 vainas de vainilla
- 85-110 g (¼-⅓ taza) de miel

El yogur de vainilla es el favorito de muchas familias. Se trata de un yogur versátil que resulta muy apetecible en cualquier época del año. Debido a que se suele consumir en grandes cantidades, he creado una receta con la que obtendrás casi 1 litro. La combinación de vainilla y miel tiene un sabor delicioso y al estar endulzada de manera natural, se convierte en una opción muy saludable.

Este yogur no solo tiene un sabor maravilloso si lo tomas solo, sino que además lo puedes utilizar para hacer *parfaits* de granola y fruta o como sustituto de la leche en diferentes elaboraciones de repostería. También lo puedes incorporar a la masa de las tortitas junto con un poco de leche para obtener un resultado más denso, cremoso y ligeramente agrio.

Instrucciones

1. Corta las vainas de vainilla por la mitad y después abre cada mitad a lo largo con la punta del cuchillo.

2. Con el mismo cuchillo, extrae las diminutas semillas negras que encontrarás en su interior y agrégalas al yogur. Remueve bien para que se mezclen.

3. Añade la miel al yogur y remueve de nuevo para que todos los ingredientes queden incorporados.

CONSEJOS

Si la miel ha cristalizado o está dura debido a la baja temperatura de tu hogar, puedes calentarla en una cazuela o en el microondas para que recupere su consistencia líquida. Deja que se temple a temperatura ambiente antes de incorporarla al yogur.

Esta receta se conserva en la nevera hasta 2 semanas.

Yogur de arándanos azules

Ingredientes

- 300 g (1 ½ tazas) de arándanos azules frescos
- 2 cucharadas de agua
- 1 cucharada de néctar de agave★
- 400 g (2 tazas) de yogur griego natural (página 181)

★ En lugar de néctar de agave puedes utilizar azúcar de caña, pero asegúrate de que se disuelva con los arándanos.

Elaborar esta receta, que combina el sabor ácido y dulce de los arándanos con la cremosidad del yogur, es pan comido y, además, gusta a casi todo el mundo (¡incluidos los más pequeños!). ¿Sabías que los arándanos azules son beneficiosos para el cerebro y ayudan a mejorar la memoria? Por eso se recomienda comerlos antes de hacer un examen, porque te ayudarán a retener información. Los antioxidantes y las vitaminas de los arándanos aportan densidad de nutrientes al yogur y, al utilizar un endulzante natural como el néctar de agave, se convierten en un alimento excelente para tu salud.

Instrucciones

1. Calienta los arándanos y el agua en una cazuela tapada a fuego medio.

2. Lleva a ebullición y cocina hasta que los arándanos se ablanden y suelten su jugo. Retira la tapa y espera a que el líquido reduzca para que la mezcla espese, durante 3-5 minutos.

3. Añade el néctar de agave (o el azúcar), remueve bien y apaga el fuego.

4. Transfiere la mezcla de arándanos a un cuenco o a un recipiente. Refrigera hasta que se haya enfriado por completo.

5. Mezcla el yogur con los arándanos en un cuenco.

6. Puedes disfrutar este yogur solo o acompañado de muesli. También puedes añadirlo a un smoothie de frutas.

OBSERVACIÓN

Este yogur se conserva en la nevera hasta 1 semana. Remueve bien antes de consumirlo.

Yogur de frambuesa

Ingredientes

- 300 g (1 ½ tazas) de frambuesas maduras
- 2 cucharadas de agua
- 1 cucharada de néctar de agave o azúcar (o cantidad al gusto)
- 400 g (2 tazas) de yogur natural entero o yogur griego (página 179 o 181)

El yogur de frambuesa es uno de mis favoritos y no hay nada mejor que elaborarlo de manera artesanal. Las frambuesas presentan un alto contenido en antioxidantes, vitamina C, manganeso y fibra. Además, diversos estudios han demostrado que contienen fitonutrientes que calientan las células grasas, estimulando por lo tanto el metabolismo lipídico. Las frambuesas también añaden un maravilloso equilibrio entre sabores dulces y ácidos a este yogur artesanal, cuya calidad es muy superior a la de cualquiera que puedas comprar.

Instrucciones

1. Calienta las frambuesas y el agua a fuego medio en una cazuela tapada.

2. Después de un par de minutos, verás que las frambuesas comienzan a soltar su jugo. Llévalas a ebullición hasta que parte del líquido reduzca para que la mezcla sea más densa. Añade el néctar de agave o el azúcar (asegúrate de que el azúcar se disuelve por completo) y después retira la cazuela del fuego. Puedes dejar las frambuesas enteras o triturarlas con un tenedor, dependiendo de la textura que prefieras para combinar con el yogur.

3. Vierte las frambuesas en un cuenco u otro tipo de recipiente y refrigéralas en la nevera hasta que estén completamente frías.

4. Combina el yogur con la mezcla de frambuesas y remueve bien.

CONSEJOS

Una vez que el yogur esté en la nevera, la fruta y el néctar de agave se hundirán hasta llegar al fondo del recipiente, por lo que, antes de consumirlo, remuévelo bien con una cuchara.

Este yogur se conserva en la nevera hasta 2 semanas.

Yogur de manzana y canela

Ingredientes

- 600 g (3 tazas) de yogur natural entero o de yogur griego (página 179 o 181)
- 3 manzanas peladas y troceadas en dados
- 2 cucharadas de agua, por separado
- Un pellizco de sal
- 3 cucharadas de azúcar moreno
- ½ cucharadita de canela en polvo
- ½ cucharadita de extracto puro de vainilla
- Nueces, para acompañar

Los meses de otoño e invierno son los más indicados para hornear productos de repostería con especias cálidas, como el favorito de los norteamericanos, el pastel de manzana. Esta receta requiere caramelizar las manzanas con azúcar moreno y canela, lo que da lugar a un sabor denso, dulce y un poco ácido. Y por si eso no fuera lo suficientemente hogareño y reconfortante, al combinar las manzanas caramelizadas frías con el yogur se obtiene una cremosidad parecida a la de la nata montada. ¿Deberíamos llamar a esta receta Yogur de pastel de manzana? ¡Yo creo que sí!

Instrucciones

1. Añade las manzanas troceadas, la canela, 1 cucharada de agua y un pellizco de sal a una cazuela mediana.

2. Calienta a fuego medio con la cazuela tapada y remueve cada dos minutos. Las manzanas comenzarán a hervir y a soltar sus jugos.

3. Después de unos 10 minutos, agrega el azúcar moreno, la cucharada de agua restante y reduce el fuego al mínimo. Continúa con la cocción y la cazuela tapada hasta que las manzanas pierdan su forma y se caramelicen, unos 8-10 minutos. Si las manzanas se pegan al fondo de la cazuela, añade más agua, una cucharada cada vez. Algunos trozos de manzana no se desharán, pero eso conferirá una textura fabulosa al yogur.

4. Una vez que las manzanas estén listas, añade el extracto de vainilla, remueve y apaga el fuego.

5. Deja que la mezcla se enfríe y, después, transfiérela a un recipiente. Refrigera en la nevera hasta que se haya enfriado por completo.

6. En un cuenco, combina 150 g de yogur casero por persona con las manzanas caramelizadas.

7. Adorna con algunas nueces y sirve.

OBSERVACIÓN

Este yogur se conserva en la nevera hasta 1 semana. Remueve bien antes de consumirlo.

Yogur de pera caramelizada y cardamomo

Ingredientes

- 907 g (1 qt) de yogur natural entero o yogur griego (página 179 o 181)
- 3 peras Bosc maduras
- 60-80 ml (¼-⅓ taza) de agua
- 1 cucharadita de zumo de limón
- Una pizca de sal
- ½ cucharadita de cardamomo
- 3 cucharadas de néctar de agave (o cantidad al gusto)

Como la receta de Yogur de manzana y canela que encontrarás en esta misma sección, el Yogur de pera caramelizada y cardamomo es una receta dulce y con especias, perfecta para los meses de otoño e invierno. El cardamomo se suele utilizar en pasteles de manzana y calabaza, a los que aporta un sabor único. También combina perfectamente con la pera en este delicioso yogur que no encontrarás en el mercado.

Instrucciones

1. Pela y trocea las peras en dados de 0,62-1,25 cm (¼-½ in).

2. Añade las peras troceadas a una cazuela pequeña junto con 2 cucharadas de agua, el zumo de limón, la sal y el cardamomo.

3. Tapa la cazuela y cuece las peras a fuego medio. Transcurridos 5 minutos añade otras 2 cucharadas de agua, vuelve a tapar y continúa con la cocción.

4. Cocina las peras hasta que estén blandas y caramelizadas, removiendo cada dos minutos. Este proceso requiere entre 20 y 30 minutos.

5. Si observas que las peras se pegan al fondo de la cazuela, añade un poco más de agua. Estarán cocinadas cuando se hayan ablandado pero no hayan perdido la forma por completo y las rodee un líquido ligeramente denso y dulce. En este punto, añade el néctar de agave o el endulzante que hayas elegido.

6. Vierte la mezcla en un recipiente y refrigérala por completo.

7. Combina el yogur y la mezcla de peras en un cuenco.

8. Puedes disfrutar de este yogur solo o acompañado de muesli.

OBSERVACIÓN

Este yogur se conserva en la nevera hasta 1 semana. Remueve bien antes de consumirlo.

Yogur de limón

Ingredientes

Para 1 l (1 qt aprox.)

- **907 g (1 qt) de yogur entero natural o yogur griego (página 179 o 181)**
- **2 cucharadas de zumo de limón recién exprimido**
- **La ralladura de 1 limón**
- **85-110 g (¼-⅓ taza) de néctar de agave**

Este yogur de limón es ácido, fresco, dulce y está repleto de vitamina C. Además, es muy sencillo de elaborar, sano y gusta a casi todo el mundo, incluidos los niños. Su textura cremosa y suave lo convierte en la opción perfecta para aquellos a los que no les gusta encontrar trozos de fruta o pulpa en el yogur.

Añadir este yogur de limón a tus smoothies es una idea magnífica. Les aporta un ligero toque refrescante, lo que ayuda a acentuar los sabores de las otras frutas. Prueba el Smoothie de fresa y mango (página 205) con el yogur de limón o elabora un *parfait* con muesli casero y clementinas.

Instrucciones

1. Bate el zumo y la ralladura de limón con el néctar de agave en un cuenco pequeño.

2. Vierte el resultado en un tarro o cuenco y mézclalo con el yogur.

OBSERVACIÓN

Este yogur se conserva en la nevera hasta 2 semanas.

Smoothies

Sobre los smoothies

Los smoothies son una forma divertida y sabrosa de aportar probióticos, vitaminas y minerales a nuestro organismo. Existe un sinfín de combinaciones de sabores y texturas para elaborar un desayuno saludable, un tentempié o incluso un postre. Los smoothies no tienen por qué limitarse a la fruta y al yogur. También se pueden elaborar con frutos secos, mantequillas de frutos secos, leche de coco, soja o almendra, café, especias, extractos (como el de vainilla y almendra), verduras y muchos ingredientes más.

El mejor resultado se obtiene con fruta de temporada madura que ha sido congelada. A pesar de que la fruta congelada se puede adquirir en casi todos los supermercados, lo cierto es que la selección es muy limitada si se compara con la gran variedad de fruta fresca disponible en las fruterías. A veces, la fruta congelada que nos venden incluye frutos que han sido recolectados antes de su maduración, por lo que su sabor puede ser demasiado ácido o insípido como para añadirlo a un smoothie. Comprar fruta de temporada madura, trocearla y después congelarla garantiza un resultado delicioso y saludable en cualquier época del año.

Los smoothies dulces de consistencia cremosa y servidos fríos son mis favoritos. Por esta razón, compro grandes cantidades de plátanos, los dejo madurar mucho, después los pelo y los congelo, así puedo utilizarlos en cualquier momento para elaborar un delicioso smoothie. Los plátanos congelados son ideales para endulzar los batidos de manera natural, para mantenerlos fríos y aportarles cremosidad. No se tarda mucho tiempo en llenar un recipiente apto para el congelador de plátanos maduros y la recompensa es fabulosa. Si eres tan goloso o golosa como yo, puedes utilizar dátiles o higos troceados para añadir un toque extra de dulzor.

Lo mejor para obtener un batido de textura uniforme es utilizar una batidora de alta potencia. En el caso de que no dispongas de una, no pasa nada. Añade primero el ingrediente líquido (leche, zumo, yogur o kéfir) al vaso de la batidora; a continuación, la fruta más blanda y por último, la más dura. Esto permitirá que la batidora bata de forma más eficiente y fluida.

Esta sección incluye smoothies con base de yogur y kéfir. La mayoría de los smoothies se elaboran con recetas de yogur y kéfir que encontrarás en este libro. En cada receta te ofrezco varias opciones de yogures de sabores, industriales o artesanales, que puedes incorporar.

¿Has probado un smoothie verde? ¿Y uno elaborado con leche de coco? ¿Y qué me dices de un smoothie a base de remolachas asadas? En esta sección encontrarás todo tipo de sabores de frutas, verduras e incluso chocolate, para satisfacer tus antojos en cualquier época del año.

Smoothie de fresa y mango

Ingredientes

- 200 g (1 taza) de yogur de limón (página 201)
- 180 ml (¾ taza) de leche de almendras sin azúcar
- 6 fresas maduras (frescas o congeladas)
- 1 plátano congelado
- 1 mango entero, pelado, troceado y congelado

Este sencillo batido está lleno de sabor. Yo lo tomo desde la adolescencia y nunca me ha decepcionado. Los sabores dulces, cremosos, ácidos y agrios están perfectamente equilibrados, y la fruta empleada se puede encontrar en cualquier época del año. Para elaborar este smoothie he utilizado el yogur de limón casero (página 201), pero también puedes añadir uno comercial.

Instrucciones

Añade todos los ingredientes al vaso de la batidora y bate hasta obtener una mezcla homogénea y sedosa.

CONSEJO

Si no dispones de una batidora de alta potencia, añade primero el yogur y la leche de almendras. Puedes utilizar una cantidad extra de leche de almendras para facilitar el proceso.

¡Con estas cantidades obtendrás un smoothie cremoso para dos personas!

Smoothie verde tropical

Ingredientes

- 400 g (2 tazas) de piña natural, troceada
- 1 mango, troceado y congelado (unos 400 g)
- 240 ml (1 taza) de kéfir de plátano asado★ (página 171)
- 240 ml (1 taza) de leche de almendras
- 400 g (2 tazas) de hojas de col rizada

★ El kéfir de plátano asado se puede sustituir por 240 ml de kéfir natural y 1 plátano congelado

Los smoothies verdes no tienen por qué saber a verdura. Pueden tener un sabor tropical, refrescante y delicioso. Esta receta está repleta de sabores isleños y supone una introducción idónea para todos aquellos que no están familiarizados con este tipo de batidos. Además de su extraordinario sabor, la piña es muy beneficiosa para la salud. Es rica en vitamina C, tiene propiedades antiinflamatorias y, debido a su acidez, ayuda a evitar las infecciones bucales. Añade a todos estos beneficios el contenido en antioxidantes y la gran cantidad de vitamina K y vitamina A de la col rizada y obtendrás un potente activador del sistema inmunitario.

Lo ideal para esta receta es utilizar kéfir de plátano asado (página 171), pero también puedes usar 240 ml (1 taza) de kéfir natural y añadirle un plátano congelado.

Instrucciones

Añade todos los ingredientes al vaso de una batidora de alta potencia y bate hasta obtener una mezcla homogénea. El resultado será muy denso, por lo que, mientras bates, probablemente necesites parar la batidora y remover los ingredientes antes de continuar batiendo. Si te apetece un smoothie menos denso, añádele más leche de almendras o kéfir hasta conseguir la consistencia deseada.

Con esta receta obtienes cantidad suficiente para dos o tres personas

Smoothie de melocotón, crema y miel

Ingredientes

- 1 melocotón, sin el hueso, troceado y congelado
- 240 ml (1 taza) de Kéfir de melocotón y miel (página 167)*
- 120 ml (½ taza) de leche de almendras

Gracias a este smoothie podrás beneficiarte de las propiedades saludables de los melocotones. Utiliza la receta de Kéfir de melocotón y miel (página 167), añádele un melocotón congelado y leche de almendras y obtendrás un batido sencillo, cremoso y dulce. No te preocupes si no tienes kéfir casero con sabor a melocotón. En su lugar puedes utilizar 240 ml (1 taza) de kéfir natural, un melocotón y algo de miel.

Cuando los melocotones están en temporada, me gusta comprarlos por kilos, dejar que maduren (si no lo están ya), trocearlos y congelarlos para disfrutar de su sabor durante todo el año. Desafortunadamente, la temporada de melocotones no es muy larga, así que cuando están disponibles durante el verano, me aseguro de comprarlos en grandes cantidades.

Instrucciones

Añade todos los ingredientes al vaso de la batidora y bate hasta conseguir una mezcla homogénea.

CONSEJO

Puedes reemplazar el Kéfir de melocotón y miel por 240 ml (1 taza) de kéfir natural, un melocotón congelado y una cucharada de miel.

Con esta receta obtendrás un smoothie grande

Smoothie de proteína de chocolate

Ingredientes

- 1 plátano congelado
- 120 ml (½ taza) de kéfir de chocolate, de yogur de moca o de yogur de vainilla (página 165, 189 o 191)
- 120-180 ml (½-¾ taza) de leche de almendras*
- 1 ½ cucharadas de tu mantequilla de cacahuete favorita**
- 1 ½ cucharadas de cacao puro en polvo
- ½ cucharadita de maca en polvo, opcional

Si hay algo que no dura demasiado en mi casa es la mantequilla de cacahuete: no importa la textura, cremosa o crujiente, siempre y cuando me la pueda zampar a cucharadas. Yo prefiero la versión saludable, sin aceites, azúcares o conservantes añadidos. Aunque he descubierto que cualquier mantequilla de frutos secos aporta un gran sabor a los smoothies, la de cacahuete sigue siendo mi favorita.

Este smoothie contiene cacao puro en polvo, que es el chocolate crudo antes de procesarlo e incorporarle aceites y azúcares. Puedes utilizar cacao en polvo normal, pero el sabor será distinto. También le añado maca en polvo, opcional pero muy saludable. El polvo de maca proviene de la raíz de maca, que es una planta andina repleta de vitaminas B_1, B_2, C y E, además de ser rica en minerales. También es afrodisiaca, aumenta la resistencia en atletas y ayuda a restaurar los niveles de glóbulos rojos, por lo que resulta muy beneficiosa para la salud cardiaca.

He probado este smoothie con una gran variedad de yogures y kéfir. Mis favoritos son el kéfir de chocolate, el yogur de moca y el yogur de vainilla. A pesar de ser unas opciones maravillosas, este smoothie también sabe delicioso sin yogur.

Instrucciones

Añade todos los ingredientes al vaso de la batidora y bate hasta conseguir una mezcla homogénea.

CONSEJOS

* Para conseguir un resultado con un toque decadente y gran intensidad, utiliza leche de almendras de chocolate negro.
** También puedes elaborar este smoothie con mantequilla de anacardos o de almendras.

Para un smoothie

Smoothie de frambuesas y piña colada

Ingredientes

- 100 g (½ taza) de yogur natural* (página 179)
- 120 ml (½ taza) de leche de coco**
- 120 ml (½ taza) de zumo de piña
- 1 ½ plátanos congelados
- 100 g (½ taza) de frambuesas frescas, trituradas

* Puedes utilizar también yogur de pastel de plátano y crema o yogur de vainilla

** Recomiendo utilizar leche de coco entera. ¡El batido no tendrá un sabor tan delicioso sin ella!

La piña colada se suele relacionar con las vacaciones de verano y por una muy buena razón: es dulce, cremosa y tiene un no sé qué que invita al relax. He adaptado esta bebida alcohólica para convertirla en un batido que se puede disfrutar a cualquier hora del día. En este caso he utilizado leche de coco entera para obtener un smoothie cremoso y sano. Aunque la leche de coco tiene muchas calorías, también está repleta de grasas saludables para el corazón, vitaminas B, C y E, minerales y antioxidantes. El coco también es conocido por acelerar el metabolismo. Para elaborar este smoothie puedes utilizar piña fresca, pero yo prefiero usar zumo de piña, porque aporta cremosidad a la textura y es muy saludable, ya que contiene vitaminas C y B_6, antioxidantes, aumenta los niveles de energía y favorece la digestión.

Las frambuesas son ricas en antioxidantes y vitamina C, además de estar consideradas un antiinflamatorio natural. También contienen cetona de frambuesa, una sustancia que facilita el tránsito de los alimentos sin que el cuerpo absorba la grasa, lo que favorece la pérdida de peso de forma natural. Todos estos beneficios combinados hacen de este smoothie una bebida refinada muy beneficiosa para la salud.

Yo trituro las frambuesas frescas por separado y después las añado al resto de los ingredientes, una vez batidos, para que aporten acidez y algo de textura al resultado. Puedes eliminar las frambuesas si prefieres un batido sin grumos.

Instrucciones

1. Añade las frambuesas a un cuenco y tritúralas con un tenedor. Reserva.

2. A continuación, agrega el yogur natural, la leche de coco, el zumo de piña y los plátanos congelados al vaso de la batidora y bate hasta conseguir una mezcla homogénea y sedosa.

3. Vierte el smoothie en un vaso y corónalo con las frambuesas trituradas. ¡Que lo disfrutes!

Smoothie de arándanos azules y mango

Ingredientes

- 1 mango entero, pelado, sin el hueso, troceado y congelado
- 200 g (1 taza) de arándanos azules congelados
- 1 plátano maduro, congelado
- 120 ml (½ taza) de kéfir de arándanos azules o 100 g (½ taza) de yogur de arándanos azules* (página 173 o 193)
- 120 ml (½ taza) de leche de almendras
- 120 ml (½ taza) de zumo de naranja
- 60-120 ml (¼-½ taza) de leche de coco entera (para agregar al final)

Este batido repleto de fruta agrada a casi todo el mundo. Es muy fácil de preparar, incluso cuando no dispones de mucho tiempo. ¡A los niños les encanta! A mí me gusta elaborar smoothies con diferentes capas, y una de las maneras de hacerlo es agregando leche de coco o yogur en la parte de arriba. No solo le da un aspecto bonito y original, sino que te permite mezclar todos los ingredientes o disfrutar de ellos poco a poco.

Si a esta receta le añades kéfir o yogur de arándanos azules y 200 g (1 taza) de arándanos azules frescos, obtendrás una bebida repleta de antioxidantes. Los arándanos azules son buenos para el cerebro y existen estudios que demuestran que ayudan a mejorar la memoria. Recuerdo que cada vez que tenía que presentarme a algún examen, solía beber smoothies de arándanos durante los días previos. Añádele mango, zumo de naranja y plátanos, y disfrutarás de una bebida repleta de sabor, vitaminas y minerales beneficiosos para el sistema inmunitario.

Instrucciones

1. Añade todos los ingredientes, excepto la leche de coco, al vaso de una batidora. Bate hasta conseguir una mezcla homogénea.

2. Reparte el smoothie en dos vasos y sírvelos con la leche de coco flotando en la superficie.

CONSEJO

Puedes sustituir el kéfir o el yogur de arándanos azules por otro tipo de yogur que te guste más, como el de vainilla, fresa o frambuesa.

Con esta receta obtienes cantidad suficiente para dos personas

Smoothie de chocolate y remolacha

Ingredientes

- ½ remolacha roja, cocida al vapor, troceada y congelada
- 1 ½ cucharadas de cacao puro o normal en polvo
- 1 plátano congelado
- 120 ml (½ taza) de kéfir de arándanos rojos (página 163)
- 120 ml (½ taza) de leche de almendras

Puede que esta mezcla de cacao en polvo, remolacha y kéfir de arándanos rojos resulte un poco singular, pero se trata de mi smoothie favorito. Sus propiedades saludables son fabulosas, aunque su sabor no complace a todo el mundo. De hecho, el de la remolacha está muy presente (aunque es más intenso el de los arándanos rojos y el chocolate), así que a aquellos a los que no les guste la remolacha seguramente tampoco les gustará este smoothie.

El chocolate es rico en antioxidantes y el cacao contiene feniletilamina, un neurotransmisor que estimula el ritmo cardiaco y te hace sentir feliz y alerta. La remolacha contiene altos niveles de fibra y sus azúcares son de absorción lenta, por lo que se considera una fuente saludable de carbohidratos. También contiene nitratos, que ayudan a expandir las paredes de los vasos sanguíneos, aumentando el nivel de energía y beneficiando al cerebro, por no hablar de sus propiedades afrodisíacas. A todo esto hay que sumarle la vitamina C y los antioxidantes presentes en los arándanos rojos. Sin duda, un smoothie ganador.

Instrucciones

1. Añade 5 cm (2 in) de agua a una cazuela, introduce la vaporera y lleva el agua a ebullición.

2. Corta una remolacha sin pelar en cuartos, introdúcela en la cazuela y tápala.

3. Cuece la remolacha al vapor durante 15 minutos o hasta que, si la pinchas con un tenedor, compruebes que está tierna.

4. Espera a que la remolacha se enfríe por completo. Una vez fría, córtala en trozos más pequeños y congélalos en un recipiente adecuado. Como para esta receta solo necesitarás la mitad de la remolacha, puedes utilizar la otra mitad para ensaladas o conservarla en el congelador para añadirla a otro batido.

5. Agrega todos los ingredientes del smoothie al vaso de la batidora y bate hasta conseguir una mezcla homogénea y sedosa.

CONSEJO

Si no dispones de una vaporera, puedes cocer la remolacha en agua hirviendo (o incluso asarla en el horno).

Con estas cantidades obtendrás un smoothie

Refresco de melón y menta

Ingredientes

- 1 melón Cantalupo, sin semillas, troceado y congelado
- 6 hojas de menta
- 1 cucharada de zumo de lima recién exprimido
- 240 ml (1 taza) de leche de almendras
- 1 cucharada de néctar de agave (opcional)
- 200 g (1 taza) de Yogur de mojito* (página 187)

* Prueba esta receta con kéfir de lima o yogur de limón. ¡Incluso el yogur de vainilla le aporta un sabor delicioso!

Los smoothies con diferentes capas son muy divertidos y bonitos, además de tener un sabor delicioso. En lugar de batir todos los ingredientes a la vez, dejar flotando una capa de yogur en la superficie aporta un toque único. Congelado y después batido, el melón posee una textura similar a la del granizado. Gracias a la combinación de menta y limón se obtiene una deliciosa bebida refrescante, perfecta para tomar en un día caluroso.

A este refresco le iría bien el Yogur de mojito, cuya receta encontrarás en la sección de este libro dedicada al yogur (página 187). También puedes utilizar el Kéfir de lima, el Yogur de limón o el Yogur de vainilla.

Instrucciones

1. Trocea el melón Cantalupo y desecha la piel. Congela los trozos de melón en un recipiente apto para el congelador (puedes saltarte este paso, pero el melón congelado aporta una textura de granizado muy refrescante).

2. Añade todos los ingredientes, excepto el yogur, al vaso de la batidora.

3. Bate hasta conseguir un granizado consistente. Dependiendo de la potencia de tu batidora, puede que necesites dejar de batir para remover el melón de vez en cuando y después continuar batiendo. Si no dispones de una batidora de alta potencia, te sugiero que utilices el melón sin congelar.

4. Sirve este refresco de melón y menta en dos vasos y reparte el yogur por encima. Puedes mezclarlo para obtener una bebida cremosa o disfrutar de sus diferentes capas por separado con una cuchara.

Smoothie de té matcha

Ingredientes

- 1 ½ plátanos congelados★
- 150 g (¾ taza) de yogur de vainilla (página 191)
- 240 ml (1 taza) de leche de almendras
- 1-2 cucharaditas de té matcha en polvo

★ También puedes elaborar un smoothie de matcha y mango sustituyendo el plátano por 300-400 g (1 ½-2 tazas) de mango troceado congelado.

El té verde es una de las mayores fuentes de antioxidantes que existen. A pesar de que beber una taza de té verde es beneficioso para la salud, lo cierto es que la mayoría de sus propiedades quedan atrapadas en las hojas, que se suelen desechar. El polvo de té matcha es el resultado de moler dichas hojas (¡lo que se utiliza para elaborar el helado de té verde!) y está repleto de antioxidantes, vitaminas, minerales y aminoácidos. El té matcha también acelera el metabolismo y es un fantástico quemagrasas.

Para elaborar un batido sabroso y saludable, no es necesario añadir gran cantidad de matcha. El sabor del té verde es sutil, por lo que combina mejor con frutas que podríamos llamar *neutrales*, como el plátano o el mango, que evitarán que un smoothie de té verde pierda su sabor característico. Esta bebida saludable activa el sistema inmunitario, aporta energía y está deliciosa.

Instrucciones

Añade todos los ingredientes al vaso de una batidora y bate hasta conseguir una mezcla homogénea y sedosa.

Con estas cantidades obtienes un smoothie grande o dos pequeños

Smoothie de mojito

Ingredientes

- **2 plátanos maduros congelados**
- **12 hojas de menta fresca**
- **120 ml (½ taza) de Kéfir de lima (página 161)★**
- **120 ml (½ taza) de leche de coco (entera)**
- **120 ml (½ taza) de leche de almendras**

★ El Kéfir de lima se puede sustituir por 120 ml (½ taza) de kéfir natural, 1 cucharada de zumo de lima recién exprimido y 1 cucharada de néctar de agave.

Uno de los cócteles más refrescantes del verano es el mojito. Este smoothie está inspirado en él y contiene lima y menta, que le aportan un sabor ácido y refrescante, además de leche de coco y kéfir, gracias a los cuales se convierte en una bebida refinada y cremosa. A pesar de que no se trata precisamente de un batido bajo en calorías, está repleto de beneficios para la salud derivados del kéfir, que es rico en probióticos, y de la leche de coco, que lo es en electrolitos. Tómalo después de correr en un día caluroso para reponer fuerzas o disfrútalo a la hora del postre.

Instrucciones

Añade todos los ingredientes al vaso de la batidora y bate hasta conseguir una mezcla homogénea y sedosa.

Con esta receta obtienes una cantidad de smoothie suficiente para dos personas

Smoothie de aguacate y col rizada

Ingredientes

- 1 plátano congelado, cortado en trozos pequeños
- 100 g (½ taza) de yogur de arándanos azules (página 193)
- 200 g (1 taza) de hojas de col rizada (o espinacas), picadas
- ½ aguacate maduro
- 120 ml (½ taza) de leche de almendras sin azúcar

Este smoothie es como una comida en un vaso. Contiene arándanos azules, col rizada y aguacate, todos ellos alimentos muy saludables. Los arándanos azules son ricos en antioxidantes y la col rizada lo es en hierro, fibra, vitaminas K y A y muchos elementos más. El aguacate contiene ácidos grasos omega-3 y se dice que previene el alzhéimer, distintos tipos de cáncer y las enfermedades cardiovasculares. También contiene gran cantidad de vitaminas y minerales. Dicho esto, queda claro que este batido es todo lo que necesitas para disfrutar de una comida sana. Su textura esponjosa es una delicia para el paladar. Su sabor es dulce, aterciopelado y ligeramente terroso. Puede que no acabe de convencer a aquellos que se están iniciando en el mundo de los smoothies verdes, ¡pero tampoco resulta tan horrible!

Instrucciones

Añade todos los ingredientes al vaso de la batidora y bate hasta conseguir una mezcla homogénea y sedosa.

CONSEJO

Para elaborar esta receta recomiendo el uso de una batidora de alta potencia, ya que el resultado es muy denso y cremoso. Para obtener una consistencia más ligera o para facilitar la labor de la batidora, añade una cantidad extra de leche de almendras.

Con estos ingredientes se obtiene un smoothie de textura densa

Lassi de kéfir con cúrcuma

Ingredientes

- 240 ml (1 taza) de kéfir de leche natural★ (páginas 152-154)
- 1 plátano congelado
- 100 g (½ taza) de piña natural
- 60 ml (¼ taza) de leche de coco
- El zumo de ½ limón
- 1 cucharadita colmada de jengibre rallado muy fino
- 1 cucharadita de cúrcuma
- 1 cucharadita de café colmada de miel★★

★ El kéfir natural se puede sustituir por yogur natural.

★★ Has de tener en cuenta la diferencia entre una cucharadita de café y una cucharadita normal. La cucharadita de café hace referencia a la cucharilla que utilizas para remover el café o el té, mientras que por cucharadita normal se entiende una cuchara pequeña de medir.

El lassi es una bebida elaborada a base de yogur que no tiene por qué contener fruta. Su consistencia es similar a la de un batido y entre sus ingredientes a veces figuran las especias e incluso la sal. Cada uno de los componentes de esta bebida es muy saludable a su manera única, por lo que al combinarlos se obtiene un resultado de alta densidad nutricional muy beneficioso para la salud.

Se sabe que la cúrcuma inhibe el crecimiento de las células cancerígenas. También tiene propiedades antiinflamatorias, lo que ayuda a aliviar enfermedades de la piel como la psoriasis. Asimismo, se ha demostrado que ralentiza el desarrollo del alzhéimer, es antioxidante y un analgésico natural. Similar a la cúrcuma, el jengibre es antiinflamatorio y digestivo, alivia las náuseas y los dolores menstruales, además de ser un antibiótico natural.

La miel también es un antibiótico natural. Añade esto a las vitaminas, los minerales y la capacidad de activar el sistema inmunitario y el metabolismo que tienen la piña y la leche de coco (por no mencionar los probióticos presentes en el kéfir) y este smoothie debería figurar entre los primeros de tu lista de recetas pendientes de hacer.

Ahora que conoces todos sus beneficios, ¿a qué sabe? Su sabor es dulce y su textura, tersa. Las dos notas predominantes las aportan el limón y el jengibre, que juntos dotan a esta bebida de un toque cremoso que hace que resulte deliciosa en todos los aspectos.

Instrucciones

1. Ralla con un rallador fino un trozo de jengibre fresco pelado hasta conseguir una cucharadita colmada. Puedes añadir más cantidad si te gusta el picante.

2. Añade todos los ingredientes al vaso de la batidora y bate hasta conseguir una mezcla homogénea y sedosa.

3. Sirve el smoothie en un vaso y espolvorea con un poco de cúrcuma para decorar.

Smoothie de calabaza y especias

Ingredientes

- 100 g (½ taza) de puré de calabaza (o de boniato)
- 100 g (½ taza) de yogur natural (o yogur con sirope de arce) (página 179)
- 120 ml (½ taza) de leche de almendras sin azúcar
- 1 plátano congelado
- 1 cucharadita colmada de miel
- ¼ cucharadita de canela en polvo
- ½ cucharadita de jengibre fresco, rallado
- 1 pizca de nuez moscada

Durante el otoño y el invierno, resultan reconfortantes ingredientes como la calabaza, la canela y el jengibre. Los dulces de calabaza no solo son divertidos y deliciosos, sino que también pueden ser muy saludables. La calabaza es rica en vitamina A y fibra, y baja en grasa y calorías. Si se combina con el jengibre y la canela se obtiene una bebida que seguro satisface tu antojo de dulce, es ideal para saciar el hambre y constituye una alternativa saludable a los postres tradicionales.

¿Sabías que el jengibre es un antiinflamatorio natural que facilita la digestión y que la canela regula los niveles de azúcar en sangre? Estas especias son muy beneficiosas para tu organismo y resultan especialmente apropiadas durante los días fríos del otoño o del invierno. En esta receta se utiliza puré de calabaza, que puedes comprar ya hecho o elaborarlo en casa con calabaza asada.

Instrucciones

1. Ralla con un rallador fino un trozo pequeño de jengibre pelado hasta obtener media cucharadita.

2. Añade todos los ingredientes al vaso de la batidora y bate hasta conseguir una mezcla homogénea y sedosa.

CONSEJO

Si no dispones de una batidora de alta potencia, agrega una pequeña cantidad extra de leche de almendra para facilitar el proceso.

Con esta receta obtienes un smoothie de consistencia cremosa

Sobre la autora

«*Comencé a elaborar kombucha en 2011, poco después de haberla descubierto en una tienda. A pesar de que necesité beber un par de botellas para acostumbrarme a ella, me enamoré de la manera en la que me hacía sentir y, poco después, acabé sucumbiendo a su sabor. Comencé a comprar y a tomar una botella cada día, lo que resultaba muy caro. Al darme cuenta de la gran cantidad de dinero que me gastaba cada mes debido a mi obsesión por la kombucha, decidí hacer algo al respecto.*

Enseguida comprendí que elaborar kombucha en mi propia casa podía resultar muy divertido y no solo me haría ahorrar dinero, sino que me permitiría tener el control sobre los ingredientes empleados en el proceso. Cuando me puse a ello, solo utilizaba zumos cien por cien naturales para añadir sabor. Después comencé a incorporar fruta y hierbas aromáticas durante la fermentación secundaria, lo que cambió, y de forma muy positiva, la concepción que tenía del mundo de la kombucha. No solo sabía mejor, sino que también tenía más burbujas. Al mismo tiempo, podía adecuar los ingredientes a mis necesidades nutricionales, añadiendo aquellos que contenían las vitaminas, los minerales y los beneficios para la salud que yo estaba buscando.

No soy nutricionista ni dietista ni he recibido ningún tipo de formación reglada al respecto. Toda la información que encontrarás en este libro proviene de mis investigaciones y de mis experiencias personales, de mis triunfos y mis fracasos. Cuanto más experimento, más aprendo. A través de este libro quiero compartir tanto aquello que me ha funcionado como lo que no en el maravilloso arte de la fermentación.

No padezco enfermedades digestivas que me hayan llevado a buscar una solución en los probióticos, pero creo que los probióticos presentes en mi dieta me ayudan a estar sana. Aquellos que padezcan trastornos gástricos se pueden beneficiar de sus propiedades para aliviarlos, pero os ruego que no confiéis solo en este libro para buscar consejos sobre nutrición.

Aunque adoro elaborar bebidas probióticas, también soy una apasionada de la cocina y la fotografía. Escribo un blog titulado The roasted root (http://www.theroastedroot.net)*, donde comparto recetas de alta densidad nutricional basadas sobre todo en alimentos enteros o integrales. El desarrollo de estas recetas depende de los ingredientes de temporada y de mis propias necesidades alimentarias. También fotografío el resultado y publico la receta y las fotografías en el blog, acompañadas de mis pensamientos, sentimientos y todo lo que se me ocurre. El blog no solo me proporciona un espacio para la creatividad, sino que además me ha abierto las puertas a mundos que nunca hubiera imaginado. El futuro aguarda repleto de relaciones sinceras, comida sana y deliciosos probióticos. Te invito a que compartas todas estas experiencias conmigo* »*.*

Índice
de recetas

TABLA DE CONVERSIÓN MÉTRICA
(se han redondeado los valores para mayor comodidad)

Ingrediente	Tazas/cucharadas/cucharaditas	Onzas	Gramos/mililitros
Frutas o verduras, troceadas	1 taza	5-7 onzas	145-200 gramos
Miel o sirope de arce	1 cucharada	0,75 onzas	20 gramos
Líquidos: nata, leche, agua o zumo	1 taza	8 onzas líquidas	240 mililitros
Especias en polvo: canela, clavo, jengibre o nuez moscada	1 cucharadita	0,2 onzas	5 gramos
Azúcar moreno, prensado	1 taza	7 onzas	200 gramos
Azúcar blanco	1 taza/1 cucharada	7 onzas/ 0,5 onzas	200 gramos/ 12,5 gramos
Extracto de vainilla	1 cucharadita	0,2 onzas	4 gramos

Listado de sinónimos

Achicoria (radicheta, escarola)
Aguacate (avocado, palta, cura, abacate, cupandra)
Albaricoque (damasco, chabacano, arlbérchigo, alberge)
Arándanos rojos (cranberries)
Batata (camote, boniato, papa dulce, chaco)
Bayas asai (fruto palma murraco o naidi)
Bok choy (col china, repollo chino, pak choy)
Brócoli (brécol, bróculi)
Calabacín (zucchini)
Calabaza (zapallo, ayote, auyamas)
Caqui (kaki)
Carambola (tamarindo, fruta estrella, cinco dedos, vinagrillo, pepino de la India, lima de Cayena, caramboleiro, estrella china)
Cilantro (culantro, coriandro, alcapate, recao, cimarrón)
Col (repollo)
Diente de león (achicoria amarga, amargón, radichaa, panadero, botón de oro)
Echinacea (equinácea)
Frambuesa (sangüesa, altimora, chardonera, mora terrera, uva de oso, zarza sin espinas, fragaria, churdón)
Fresa (frutilla)
Guisante (arveja, chícharo, arbeyu)
Hierba de trigo (wheat grass)
Hierbabuena (batán, hortelana, mastranzo, menta verde, salvia, yerbabuena)
Jicama (nabo)
Judía verde (ejote, chaucha, vainita, frijolito, poroto verde)

Judías (frijoles, alubias, porotos, balas, caraotas, frejoles, habichuelas)
Linaza (semillas de lino)
Lombarda (col morada, col lombarda, repollo morado)
Mandarina (tangerina, clementina)
Mango (melocotón de los trópicos)
Melocotón (durazno)
Menta (mastranto)
Mostaza parda (mostaza oriental, china o de India)
Nectarina (briñón, griñón, albérchigo, paraguaya, berisco, pelón)
Papaya (fruta bomba, abahai, mamón, lechosa, melón papaya)
Pepino (cogombro, cohombro, pepinillo)
Pimienta de cayena (chile o ají en polvo, merkén, cayena)
Pimiento (chile o ají)
Piña (ananá, ananás)
Pipas (semillas o pepitas de girasol)
Plátano (banana, cambur, topocho, guineo)
Pomelo (toronja)
Remolacha (betabel, beterrada, betarraga, acelga blanca, beteraba)
Rúcula (rúgula)
Salsa de soja (salsa de soya, shoyu)
Sandía (melón de agua, patilla, aguamelón)
Sésamo (ajonjolí, ejonjilí, ajonjolín, jonjolé)
Tabasco (salsa picante)
Tomate (jitomate, jitomatera, tomatera)
Yaca (panapén, jack)
Zumo (jugo)

Otros títulos de Gaia

BEBER VERDE

Smoothies alcalinos para adelgazar, energizar, alcalinizar y sentirse bien

JASON MANHEIM

Esta maravillosa obra ofrece convincentes razones para consumir zumos o batidos de hortalizas verdes. Aporta docenas de recetas con las que tendremos asegurada la variedad de nuestra alimentación.

Los famosos, las modelos y las grandes estrellas prefieren las bebidas verdes. ¡Aprende a disfrutarlas tú también!

CÓMO COMER MEJOR

Aprende a elegir, conservar y cocinar ingredientes cotidianos para convertirlos en superalimentos

JAMES WONG

Cómo comer mejor ofrece una información científica accesible con la que podrás multiplicar las propiedades saludables de tus alimentos cotidianos, e incluso potenciar su sabor, simplemente cambiando la manera de seleccionarlos, guardarlos y cocinarlos. Con más de 80 recetas fáciles, James Wong te enseña a convertir cualquier ingrediente en un superalimento cada vez que cocinas.

PROGRAMA 21 DÍAS EAT ME RAW

Contiene más de 100 recetas crudiveganas detox

CARLOTA ESTEVE

Durante 21 días aprenderás todo lo que necesitas saber sobre el mundo del Raw. Te nutrirás exclusivamente de alimentos vivos y aprenderás a depurar tu cuerpo de forma correcta.

Otros títulos de Gaia

EL ARTE DE LA FERMENTACIÓN
Una exploración en profundidad de los conceptos y procesos fermentativos de todo el mundo

SANDOR ELLIX KATZ

Esta es la guía más completa que se ha publicado hasta la fecha sobre la fermentación doméstica. Esta obra nos acerca a la historia, los conceptos científicos y los procesos básicos de esta maravillosa técnica, con sencillez suficiente para que el lector pueda elaborar por primera vez chucrut o yogur, pero también con la profundidad necesaria para ampliar los conocimientos de los más experimentados.

LA CURA ALCALINA
Programa de 14 días de dieta alcalina para perder peso, ganar energía y recobrar la salud

STEPHAN DOMENIG

La Cura Alcalina te permitirá aprender a instaurar tu propio equilibrio ácido-base, descubrir un enfoque más sano para tu alimentación general, identificar las comidas que te proporcionarán un óptimo equilibrio ácido-base y tener a tu disposición un plan de dieta alcalina de 14 días que incluye sabrosos y digestivos menús diarios, así como una variada colección de recetas alcalinas para la vida cotidiana.

LA REVOLUCIÓN VERDE
El extraordinario poder revitalizante y curativo de los vegetales y smoothies verdes

VICTORIA BOUTENKO

La revolución verde recoge la más valiosa información sobre nutrición y licuados verdes (smoothies). Es perfecta para cualquier persona tanto crudívora, vegana, vegetariana o incluso consumidora de carne que desee tener una dieta sana sin sacrificar su forma de vida ni el disfrute del sabor.